*The Liberal Arts guard the Mind, and
corruption, by teaching us a gene-rous love of public good,
which is also conducive to the Good of Mankind, so that the
study of the liberal arts is also the study of public virtue.*

- John Barell

Kunsten at se
- En Introduktion til Europæisk Billedkunst

© 2020 – Christian Ilcus
Forside: Joachim Patinir Landskabsmaleri Charon Krydser Styx, 1520.
Forlag: Books on Demand – København, Danmark
Fremstilling: Books on Demand – Norderstedt, Tyskland
Bogen er fremstillet efter on-Demand-proces

ISBN 978-87-4302-605-1

INDHOLDSFORTEGNELSE

4

_____

KAPITEL 1

RENÆSSANCEN

Da Renæssancen fik sit gennembrud i Italien havde allerede meget vand løbet igennem Arnoen under Ponte Vecchio i et kulturlandskab, som middelalderborge da allerede havde afgrænset fra landskabet og den by, som nu var under opbygning: Firenze, Toskanernes hjemby. Renæssancens højborg. Det er her maleriet blev populariseret. Det er en bedrift, som mange hjalp med til at skabe. For det første er sammenbruddet af det Byzantinske Rige og dets politiske og kulturelle magt, og Islams samtidige fremmarch og generelle afstandtagen fra repræsentativ hellig kunst med til at ska-be en grobund for fremvæksten af det europæiske maleri. For det andet eksisterede der allerede en tradition for ikonmaleri og mosaikkunst, for altarudsmykning, for glasmaleri og ikke mindst illuminerede høviske bogmaleri – indgik i etableringen af det europæiske maleri, som efterhånden bevægede sig fra Valois-familiens gemakker ind i kirkerum og katedraler. Jan van Eyck og Rogier van Der Weyden slog allerede deres folder i Nederlandene. Jan van EycksAlter-tavle i Ghent gælder sammen med Arnolfini-dobbelt-portræt som hovedværker i det tidlige euro-pæiske maleris historie. De tætte forbindelser mellem Flandern og Medici-familien, som sammen med købmand, kunstnere og humanister sponserede udsmykningen af Firenze, skulle sidenhen spille en central rolle for udviklingen af det europæiske maleri.

Snart ville heller ikke hollænderne være middelalderlige længere, lige så tillod tidsånden at respektere menneskets værdighed og at lære dets natur. Nederlandene affødte en Hieronymous Bosch's <u>fantastiske realisme,</u> Brueghels beskrivelse af hverdagsscener og

Hans Memlings individualiserede og

Rolin-madonnaen (1435), Louvre, 66x62.

idealiserede portrætter. der blev til i dialog med de tyske mestre og Hugo van Goes, en anden flamsk maler, som var med til at individualisere portræt-maleriet. Jan van Eycks Rolin-Maddonnaen er et studie i oliemaleriets muligheder, hvormed der blev opnået deli-kate modulationer af lys og farve som forener store og små ting, det fjerne og det tætte på. På den måde integrerer lyset figurationen med landskabet – Autun – Burgundernes hovedstad, som ses i baggrunden.

I Firenze var kunsterne nu omgivet af arkitektur og skulptur-arbejdere, gjort i Renæssancens tegn,mens Brunelleschi tilegnede sig den persiske kuppel og lagde planer for indføjningen af et almo-hadisk tårn i sin Basilika. Politisk stod målsætningen nok på bevaring af det toskanske bystats-samfund, men det gjaldt samtidigt om at sikre Firenze en førerposition – navnligt da Pavestaten lå i ruiner og i intern splittelse.

Snart skulle Giotto tilføre maleriet ny værdighed og åndelig dybde, mens Massacio skildrede natur- og menneskeskikkelser. Uccelo satte sig for at udvide maleriets muligheder i form af gengivelsen af slagtebilleder, religiøse portrætter og mytologiske kompositioner. Piero della Francesca (1418-14-52) valgte motiver som kristelige helgener og guder fra antikken. Dermed var renæssance-male-riets repertoire ligesom grundlagt.

En anden ikke uvæsentlig indflydelse på den italienske renæssance var gotisk kunst, der blev grund-lagt i Frankrig i 1200-tallet og som opnåede stor indflydelse i både Tyskland og Spanien med dets mere liniære tidsbegreb og arkitektoniske bedrifter, karakteriseret ved rigt-ornamenterede udsmyk-ning, sanselige og visuelt levende overflader samt et flamboyant geometrisk design, der var egnet til både at forlene byggeherrerne med spirituel autoritet og bibringe personlig og fælles identitet i sam-menhæng med kunstneriske, humanistiske, teknologiske og videnskabelige udvekslinger mellem kunstcentre. Billedopfattelsen er da gengivet i form af gobelinerne, glasmalerier, malede skulpturer og dertil bogillustrationer. Og dog er det den realistiske skildring af den menneskelige krop, som udgjorde hele forskellen i den tyske skole, forklædt i bibelske skildringer af Adam og Syndefaldet.

I det Hellig-Romerske Rige var de kunstneriske centre således byerne Köln, Nürnberg og Prag – her kan man endnu i dag høre den ældre befolkning tale *Praagerdeutsch*, velsagtens det smukkest talte tysk man kan støde på. Herfra bredte renæssancen sig til resten af de tysk-talende områder.

Albert Dürer bidrog med stramme klassiske former i et forsøg på dels at gøre det usynlige synligt dels at bevare det forgængelige for eftertiden. Det vil sige, Dürer bidrog navnligt med hvordan koordinerede forvandlinger kunne forvrænge og udvide de naturlige proportioner indenfor rektangler. Altdorfer bidrog med romantisk natursind, og Grünwald med en mystisk realisme. Cranach, der virkede hos Kurfyrsten i Wittenberg, var på jagt efter sandheden i afbilledningen af fornemme familier og skildrede dem på pseudo-sakral vis i spændingsfeltet mellem tro og magt. Man agtede skam på det ydre og på form og funktion. Holbein, til gengæld, udviste en skarp observationsevne og køligt indblik i sine personskildringer.

8

Filosofisk var Renæssancen prægede af en fornyelse af antikkens filosoffer. Picco della Mirandola gjorde sig gældende med sin traktat over menneskets værdighed, foredraget i 1486 i Rom med udgangspunkt i fremsættelsen af 900 teser om menneskets værdighed. Hans udgangspunkt var, at menneskets mulighed for erkendelse ligefrem kunne adskilles fra sanse-indtryk og er givent i og med Guds eksistens og virkelighed. Som mellemstation citeres Ibn Rushd (Averroes), der hævdede at vejen til sandhed var brolagt med forskellige erkendelsesformer: Den filosofiske vej, som ud fra demonstrative argumenter giver absolut erkendelse af sandheden, den teologiske vej som støtter sig til sandsynlige argumenter og dialektisk tænkning samt den religiøse vej, der støtter sig på retoriske argumenter og konkrete sanselige forestillinger. Ibn Rushd gjorde endog gældende, at religionen bar en latent erkendelse i sig, der rummede kimen til sækulær erkendelse, dog således at det ikke var folkets opgave at påtvinge teologer og filosoffer en folkereligion eller deres forståelse af religion.

Picco Della Mirandola var mere forsigtig og fastholdt, at disse discipliner nødvendigvis var hjælpe-discipliner til teologien og kunne bidrage til at skænke den troende den fred naturen og verden ikke kan give. I sin afhandling fremholdte han således den kabbalistiske jødedom, udviklet i Provence og det sydlige Europa, og erklærede, at universet var Gudsskabt og dermed lovbundet. Som det hedder i Mosesbogen: *Mennesket er en lille verden, og universet et stort menneske.* Vejen til erkendelse kunne imidlertid variere. Filosofiens opgave bestod da i at tilskynde os til det allerede erkendte gode, mens teologien ikke blot opfordrer os til at bevare vor menneskelige integritet og værdighed, men også til i hellig kappestrid med de guddommelige væsener at forvandle os fra jordiske menne-sker til himmelske mennesker. Humanistisk retorik, skolastisk filosofi og platonisk teologi kombi-nerede således vejen til en hellig treenighed, der skulle tilvejebringe betingelserne dels for fore-stillingen om en universel evig sandhed indlejret i en filosofiske fred, en *pax filosofica*, som alle videnskaber og mennesker kunne delagtiggøres i. Dermed var forudsætningen tilvejebragt for fore-stillingen om det guddommelige menneske, og om guds tilstedeværelse i naturen samt fred på jord i Guds velbehag.

Dernæst kunne Mirandola påberåbe sig Kaldæernes visdom, om menneskets ret til lyksalighed, og citere Zarthaust udtalelse om, at sjælen havde vinger: Når de falder af styrter sjælen ned i kroppen, men når de vokser ud igen flyver den atter op til himmelen". Væd jeres vinger i livets vand! Miran-dolas behandling af Orpheus tager udgangspunkt dels i hans interesse for matematik og musik, og fællesnævneren herimellem, var dels at agte på matematikken som middel til erkendelse dels på musikken, idet den kaldæiske kirke jo allerede havde bidraget til udviklingen af den kristne kirkes salmer. Pico Della Mirandola omtaler endeligt behovet for magi i binære former, idet han sondrer mellem den magi, der beror på dæmoners virksomhed og autoritet, som han tog afstand fra, og den mere respektable disciplin som *mager*, der står i naturfilosofiens tjeneste og bidrager med en hemmelig lære om metallalurgien og dens kræfter i forhold til videnskabelig erkendelse med henblik på en bedre forståelse af Guds underværker (Picco della Mirandola, *Om Menneskets Værdig-hed*).

Problemet for de skønne kunster var at få oversat en tilsvarende vision af æstetisk art til en visuel erfaring hos beskueren, sammenlignelig med en lære om maleriets opbygning. Billedlær-redet var da tomt, og det gjaldt om at formulere nogle teoretiske værktøjer, som gjorde det muligt dels at organisere maleriet dels at formidle et budskab på en måde, som var let overskuelig for  betragteren, og banebryderen i filosofisk og æstetisk hense-ende sammenholdt med middelalderens skolas-tiske skoleridt og regimentering samt noget rudi-mentære selvforståelse. I praksis var der dog tale om en sækularisering, iklædt Gudsfrygtens kappe.Billedhuggeren Michelangelos Noahs Ark, af-billedet i Pavestaten, antyder eksistensen af en ny verden, hvor mænd vil søge lykken og plante et nyt træ, og en verden bjærget af frie kvinder og mænd skildret nøgne og kontraposterede med hverandre: himmelfalden er den utopiske tradi-tion. Dermed var startskuddet givet til mannieris-men.

11

Af sine maksimer udledte Pico endvidere også en interesse for himmelske væsener: *Intet til over-mål, Kend dig selv og Du er*. Den første handler om at finde en middelvej i al moralsk handlen, det andet om at den, der erkender sig selv erkender alting i sig selv, den tredje maksime om, vi er alle er mennesker skabt i Guds billede. Mennesket var dengang al tings mål.

Heri indgik en konflikt mellem en naturvidenskabelig og skulpturel tilgang til maleriet, hvor Mi-chelangelo associerer arkitektonisk masse med det monumentale menneske på illustrativ vis, mens da Vinci anlægger en polyhistorisk og naturalistisk, kunstnerisk og litterær tilgang for bedre at skil-dre den menneskelige karakter (Kilde: Johnathan Jones *The Lost Battles: Leonardo, Michelangelo and the Artistic Duel that defined the Rennaissance*).

Udgangspunktet herfor var afstandtagen til Giottos synspunkter på maleriet, således at plan, objekt og figurer kunne indgå i en samlet komposition med det narrative formål at afspejle opbygningen og gennemførelsen af Renæssancens antroprocentriske menneskesyn og dermed distancere sig fra middelalderen. En komposition er med andre ord en malermetode, hvis formål det er at skabe en harmonisk balance mellem maleriets forskellige dele: linier, planer og figurer . Som hjul herfor skal kunstneren anvende subtile virkemidler såsom komposition, farve og emner. Formålet hermed er at organisere en fortfarende fortælling for beskueren i maleriet. Succeskriteriet for maleren består som sådan i at fastholde beskuerens opmærksomhed og ramme hans sjæl i den visuelle repræsentation. Vægtningen af de forskellige elementer i kompositionen indebar til gengæld en nedprioritering af ting i naturen, som blev anset for objektiv, sammenlignelig med en matematisk følelse af sikkerhed.

I henhold til Antikkens begreber kan et maleri indordnes som et liberalt erhverv eller anvendes i servilt øjemed. I begge tilfælde skal de illudere en fortælling, som det er malerens opgave at ind-drage beskueren i. Alberti systematiserde de første mestres værker - Giotto, Massacio og Pierro Della Francesco i en lærebog om det europæiske maleri *Della Pittura*. Heri trækker han på eukli-disk geometri og optikkens principper, så at tid, sted og handling går op i en højere enhed med beskuerens visuelle oplevelse i en centralperspektivisk komposition, der harmoniserer fladen og ob-jekt, så at beskurerens sanseindtryk varetages ved hjælp af et diagram af ensvinklede trekanter og proportionale figurer som en repræsentativ illusion af Renæssancens geometrisk ordnede univers (kilde: Alberti *Om Billedkunsten*).

Maleriets mission: *To describe with lines and to tint with color or whatever panel is given or wall is given him similar observed planes of any body, so that at a certain distance and in a certain posi-tion from the center they appear in relief and seem to have mass. The aim of painting: to give plea-sure, good will, and praise to the painter more than riches. When painters follow this aim their painting will hold the eyes and the soul of the observer.* Som sådan er Albertis værk inddelt i tre dele: (1) en indføring i matematik og hvordan den åbenbarer naturens rødder (*rudimenta*) (2) Son-dringen mellem de forskellige kunstgreb og en forklaring på udøvelsen af billedkunstens forskellige dele (*pictura*) (3) Anvisninger på hvordan kunstneren skal arbejde med sit talent for at opnå det bedst mulige resultat i sit værk (*pictor*).

Om maleriets elementer, siger Alberti, at omridsningen af den flademæssige fordeling af billedets enkeltdele udgør en omskrivning af virkeligheden, mens komposition handler om objekternes ind-byrdes placering i rummet. Gengivelse og beskrivelse af lyset påvirker udformningen af planerne og beskuerens varetagelse af fortællingen. Med hensyn til farvelæren tog Alberti udgangspunkt i pri-mærfarverne blå, rød og grøn og jordfarver, og de senere komplementærfarver, og ellers model-lering og relief, som sidenhen skulle udvikle sig til chiaro-scuro.

Udgangspunktet for objekternes placering er mennesket. Hvis der er tale om en opstilling, rejser det spørgsmålet om hvordan permanens kan opnås ? Albertis svar herpå er gennem opdelingen af lærre-det i geometrisk definerede kvantiteter, som modsvarer visuelle elementer, konfigureringen af hvil-ke sker i form af flader, konkave eller konvekse, som afgrænset af maleriets planer og defineret af maleriets overflade. Maleriets kvaliteter til gengæld er relateret til beskuerens placering, således som den finder sted i en se-pyramide, mens indfarvningen påvirker den visuelle opfattelse og følelserne. Indenfor det geometriske *grid* kan der herefter etableres regler for objekternes indbyrdes placering, om reproduktionen af ting i naturen og deres placering på fladen. Disse emner behandler Alberti, mere systematisk i en anden afhandling hvor han introducerer fire elementer til nærmere observation af objekterne i faser: Punkt, Linie, Overflade og Krop. Maleriets krop er inddelt i længdegrader, breddegrader og dybde og modsvarer objekterne i maleriet, hvis aspekter er defineret af overflade og lys. Måden som disse fremstår på er knyttet til punktet, der er det mindste punkt en pen kan lave, mens en linie er en række fortættede punkter, der er blevet til en linie, som omkranser området af maleriets krop, der så at sige er det maleriske rum, hvormed vinklingerne og linierne i ob-jekternes overflade kan reproduceres og varieres. Brugen af farver, forståeligheden, sanseligheden i kombination med moralen afgør således maleriets skønhed. Denne stræben efter at gendanne natu-rens harmoni forener forsøget på at etablere en universel harmoni, af hvilken skønhed har en fun-damental værdi, men den siger ikke noget om udviklingen af stilarter og indenfor hvilken struktur, denne bedst lader sig studere.

Renæssancens pædagogiske metode koncentrerede sig i den forstand om de tekniske proportioner i maleriet, om forholdet mellem subjekt-objekt og i et vist omfang med figurernes aspekter. Beskuerens varetagelse af fortællingen i maleriet blev i den forstand knyttet til dimensioneringen af illu-sionen i billedet, så at dets skønhed både var behageligt for øjet at se og indordnede morallæren. Udgangspunktet herfor er en (1) psykologisk vision om det skønne (2) en ontologisk teori om den kunstneriske form samt (3) anvendelsen af det liniære perspektiv som organisationsramme for maleriet.I denne kontekst, gengiver det gode maleri en konkret og naturlig realitet, den samlende arki-tektur udtrykker en kosmologisk enhed, den smukke skulptur modsvarer en gudelig eller personlig, spirituel realitet.

I Siena, et neo-romansk center, finder der allerede i 1300-tallet tilsvarende en nærmest oblik op-dagelse af det indre rum sted, idet Lorenzetti formår at forene rumafbilledningen med proportioner og afstemmer dem med figurer og proportioner i hus-interiører, hvor ikonografiske handlinger fin-der sted skildret med perspektivisk effekt i forskellige huslige rum og som en eventyrfortælling uden hjem-ude-hjem, men i stedet forældrehus-ørken-palads: den monastiske initiations fristelse. Siena var imidlertid ikke det eneste sted i Renæssancen, interiør-malerier blev skabt. I Venedig er naturen og kunsten tæt knyttet sammen, og byen udgjorde et selvstændigt bycenter, som dannede bro mellem øst og vest og dermed berigede kunsten med en mere detaljerede beskrivelse og natura-listisk iagttagelse. I Venedig værdsatte man samtidig god penselføring og et livligt farve-sprog: Bellini, Tizian & Tintoretto er de bedst kendte malere fra den venezianske skole, der blev grundlagt af Jacobo.

I Firenze var maleriet kongenialt med den arkitektoniske opbygning og skulpturelle udsmykning af byen med udgangspunktet i brugen af tegningskunst – *disegno* - mens købmænd, humanister og en snæver politisk-administrativ elite regerede byen, bakket op af gradvise erobringer af *det blom-strende sværd* af de omkringliggende byer: Arezzo, Pisa, Cortona og Leghorn, Volterra. Med tiden udviklede linien sig fra at være et værktøj for kunstnerens intellekt til at beherske formen til at være en allieret med ideen eller konceptet.

Litterært slog Dante og Boccaccio og Petraca sine folder i by-en. Det var i Firenze at pavestaten ordnede sine bankforretninger, og når det gik værst for sig i Firenze kunne Medicierne regne med papal velvilje. I Milano skød man heste, men skønheden hvor-med kvinder og deres kærlighed blev afbilledet skulle danne skole for resten af Europa i kombina-tion med Petracas syn på kvinden som en kysk og beskedent menneske, udrustet med følelser, tan-ker og intellekt. Det var primært via Milano, at den gotiske renæssance var nede og vende i Italien og blev til Italiensk renæssance takket være Sforzaernes udsmykningsopgaver: Filarete, Bramante og da Vinci sørgede herfor. I Rom, hvor en absolut orden herskede, blev kunsten efterhånden instru-mentaliseret med henblik på at fremme den fælles sag, så at religionen kunne frigøre sig fra den dogmatiske teologi og i stedet formidle det religiøse budskab som en kristen humanisme.

Middelalderens valgsprog*Pax, Amore & Virtus, Regimen, Potestas* var dermed på retræte. Dens stivnende former på vej ud. I stedet satte Firenzes fyrster, købmænd og humanister et nyt valgsprog i stedet: *Styrke, Klogskab, Retfærdighed og Selvbeherskelse i en ånd af Tro, Håb og Kærlighed.*Lasterne opfattede man som livsleden, vreden, misundelse, gerrighed, som alle opfattedes som ud-tryk for foragt for skaberværket. Dyder og Laster fandtes til gengæld i alle mennesker, og som hin-anden modstridende potentialer i menneskets indre. Det var i høj grad, malerens opgave at bidrage til dydernes fremme i offentligheden og dermed kalde sig: en liberal kunstner.

Fælles for alle byer var, at fyrsteslægterne og kirken var opdragsgiver, og at der foregik en livlig udveksling og trafik mellem Italiens kunstneriske centre. Der var for så vidt tale om en elite-kultur. I alle fire byer gjorde sig gældende, at man kunne trække på en langvarig fælles artisanal tradition, som var Italiens bud på et spontant og kulturelt udtryk, nødvendiggjort af Det Byzantinske Riges sammenbrud og fordi styreformen ikke tillod at have større tillid til, at sådanne kreative energier med fordel kunne kanaliseres igennem de italienske bystaters institutioner andet end ved fyrsten, købmænd og humanisterne.

Af genrer etablerer *storia*, landskabet og portrættet sig i løbet af Renæssancen. *Storia* er en billede-fortælling, der forener retorikkens formelle kategorier - disposition, komposition, ornat /omskriv-ning, komposition, lysets modtagelse – med dramaets indholdsmæssige aspekt. Storia er i den for-stand en dramatisk billedfortælling, som fortrænger det kirkelige andagtsbillede ved at skildre men-neskelige handlinger. Det beretter således i malerisk form om historiske begivenheder af politisk eller mytisk art. Landskabet er skildringen af naturen ude i naturen eller i atelieret, af dens masse, lys og skygger. Portrætter skildrer menneskelige erfaringer og følelser, og ligeså kompleksiteten, og dybsindigheden af det menneskelige udtryk i en given social og kulturel erfaringssammenhæng. Som sådan skal portrætter gerne være indsigtsfulde i personskildringen og have en kunstnerisk kva-litet, der er uanfægtet. Stillebenet og interiør-maleriet udgør vel nærmest mellemfortællinger. *Natu-re morte* – Stillebener er objekt-studier i det oversete, som kunstere anvender til at eksperimen-tere med optiske virkninger og kommunikere nybrud i malertraditionen. Der er tale om en slags hulrum, hvor madvarer, oprindeligt udskilt fra *storia*-malerierne, ofte indgår. Stillebenet er i forgrunden, det narrative element enten fraværende eller trådt i baggrunden. Interiør-maleriet forholder sig sagligt og malerisk til indretningen af indre rum. Det sker ofte ved at forvandle de indre rums formtænken og omgivelser og ved at aktualisere gammelkendt stof, sekundært ved at anprise kærlighed og flid i de hjemlige gemakker og derigennem foranledige en implosion af billedfortællingen ofte med et selvkritisk potentiale. Heraf kan man udlede en slags didaktisk taksonomi over det skønnes orden på tværs af epoker og genrer, det vil sige sammenligne hvordan maleriets dele er sat sammen, og hvordan vi anskuer rummet, og opfatter farver, og er tiltrukket af bevægelsen, og fornemmer syns-vinklen, altimens blikket vandrer rundt i maleriet. Fremtiden har således et gammelt hjerte.

I dette kapitel skal vi nærmere studere Botticelli, Bellini, Raphael Dürer samt Da Vinci.

Botticelli

Sandro Botticelli, Venus' Fødsel, 172,5 x 278,5, Uffizi-Gallerierne(1483)

Dette kendte og beundrede maleri af Sandro Botticelli (1445-1510) forestiller Venus' fødsel, i mytologisk form, gengivet forskudt fra maleriets centrale akse i en kammusling.

Maleriet blev bestilt af Medici-familien som led i Renæssance-epokens forsøg på at afbillede skøn-hed, smukkere end naturen med henblik på udsmykning af et privat hjem- antageligt på

20

Volterra-egnen, som bryllupsgave til Lorenzo di Pierfranscesco de' Medici og til Semiramide d'Appiani.

Motivet knytter maleriet til skabelsesberetningen i Romersk teologi, hvor det fortælles at Uranus slår sin far Saturn ihjel, hvorefter sæden fra hans testikler, smidt ud i havet, kopulerer med havet for at skabe kærligheds- og frugtbarhedsgudinden: Venus. Venus var et yndet motiv i antikkens og renæssancens kunst som symbol på det erotiske som en naturlig del af et menneskes liv. Der er således tale om et fælles referencepunkt i Middelhavslandene. Toskana spillede nemlig en central rolle ved helleniseringen af Italien. Etruskerne overtog i det store og hele det romerske pantheon. For netop etruskerne, et oprindeligt ægæisk søfolk, var det vigtigt, at mennesket havde en forbind-else til gudernes verden, der kunne legitimere magten, organisere rummet og lette tilegnelsen af teknisk viden. Andre guder var den himmelske sols datter, *Celeritas Soliis filia* og *maître de divination,* Tages (The Etruscans , Palazzo Grassi, 2000). Det kan man bla. læse om i Casellus *De Nuptiis Mercuriii et Philologae*, der understreger betydningen af studiet af antikke tekster. Hans astrologiske studier indgav samtiden tillid til, at der fandtes regler for, hvordan kosmos danner, fast-holder og opløser universet, og dermed hvordan man kunne formulere love, der forudsiger hvordan jorden og dermed mennesket indgår i den større planetariske sammenhæng.

Dette forvandler og anvender Botticelli så indenfor en malerisk ramme, og identificerer med brugen af eros indenfor Renæssancen. Det originale ved maleriet er netop, at Botticelli påberåber sig en mere væsentlig, omend ikke central rolle for eros i forbindelse med videnskabeliggørelsen af ver-denssynet, end hvad er gængs accepteret udgør oprindelsen til den moderne teknologiske civilisation. Inspirationen hertil kan stamme fra den byzantinske udviklingsroman, hvor manden må underordne sig under kærligheden som en slave sin herre for at blive fri. Dette var undfanget på et tids-punkt, hvor kirken nærede ønske om at omvende Balkans hedenske stammer til kristendommen.

Ny-platonikeren Marcello Ficino (1433-1499) til gengæld lagde vægt på forestillingen om eros og venskab mellem mennesker som forudsætningen for modtagelsen af Guds *agape*. Universet er i den forstand bundet bundet op på kærlighed, og menneskets sjæl indgår heri og nærer sig af kærlighed og venskab, varetagelsen af hvilke er forudsætningen for kommunion med det guddommelige. For-målet hermed er dels deltage i fællesskabet dels at varetage livet i skæringspunktet mellem det ab-solutte og det relative. Denne i-Guden-oplevelse er imidlertid forbeholdt for de få ad kontemplativ vej, idet Ficio opstiller en alexandrinsk trappe: Gud-Englenes Intellekt-Fornuften-Naturen-Kroppen. Nej-Nej, siger Botticelli så. Det er sådan med Venus' Fødsel, at adgangen også er at opnå ved hjælp af maleriet:

Til højre i maleriet befinder der sig en anstandsdame parat til at tildække Venus, der således kan identificeres som *Venus Budica*, den blufærdige Venus, som blev dyrket på Cythera, der henregnes til den ioniske ø-kæde men egentligt er et *stop-over* mellem Peloponnes og Kreta.

I den øvre venstre del af maleriet ses en mand og en kvinde med englevinger. Dette par kan fortol-kes som Botticelli's forsøg på at forholde sig til spørgsmålet om luftperspektivet og til at skildre afstand i maleriet, men associerer nok så meget Botticelli med en positiv indstilling til brugen af magi og pneumatiske fantasmer hinsides naturvidenskabelige eksperimenter og det til minedrift fornødne. Det er selvfølgelig derfor, at blomstrene udgår fra det svævende par, der som engle er gengivet i naturlige farver – med let-fin streg og klart optrukne linier. Engler har værdi, de er ikke ideerne. Engle er som bekendt formidlere mellem det himmelske og det jordiske, og optræder igen-nem den vestlige civilisation typisk, når en kultur befinder sig i en krise. Og det, der skal interna-liseres, er teknologiske landvindinger med henblik på at skabe fremskridt, som så bliver ladet med eros eller beåndet med en pneumatisk fantasme på en måde, som mange ville vende sig imod udgør oprindelsen til den mekaniske og teknologiske civilisation. I maleriet sigtes der således formentligt til en teknologi-baseret tilgang til fornyelse af samfundet – spontant udtrykt.

Pneumatikkens historie er nu mærkelig. Den forekommer både uudnyttet og uden sammenhæng. Det var Heron af Alexandria, som fandt på pneumatik-ken i antikken, og som var den første til at opfinde en dampmaskine. Den blev imidlertid aldrig omsat i praksis. Alle værelserne i en stor civilisation var ellers åbne: Åndelige sønner i kirken, Eratosthenes opdagelse af havene og at jorden er rund. Ptolomæus' heliocentriske verdenssyn og opdeling af jorden i bredde- og længdegrader og erkendelse af universets omfang udgør i dag et videnskabshistorisk fundament. Der er Hippodamus' vejnetsystem, og Galens studier af hjernens måde at fungere på. Men den græske verden i Alexan-dria hang ikke længere sammen. Opdagelserne gik tabt. Eller forblev ubrugte, indtil de blev oversat fra arabisk til latin, så at de kunne til veje-bringe en ramme for fornyelsen af den europæiske civili-sation i kristen dragt. Og dertil med nye magthavere.

I maleriet er der med andre ord tale om en påberåbelse af en universel pneumatisk fantasme, et ån-deligt fællesskab , tilknyttet varetagelsen af menneskets kosmicitet ved hjælp af det erotiske, der retter sig *imod* afgrænsningen af den alkymystiske magi til naturvidenskabelige eksperimen-ter, så-ledes som Pico della Mirandola havde anbefalede det i sin afhandling *Om Menneskets Værdighed* , forsvaret i 1486 i Rom. Den disput handler dels om varetagelsen af menneskets relation til det universelle og partikulære som beåndet af eros og magi. Pneumatisk fantasme bliver da processen hvormed mennesket genkender sig selv i Gudinden ved hjælp af den ekstase, som maleriet gene-rerer i menneskets sind, hvormed betragteren bliver delagtiggjort i Renæssancens synspunkt på menneskelig individuation ved hjælp af manipulation af erotiske fantasmer.Den pneumatiske fantasmes tiltrækningskraft består netop i at betrygge det nygifte par i deres lykke under Venus' beskyttelse , udtrykt i form af en dobbelt ekstase (Kilde: Ioan Couliano *Eros and Magic in the Rennaissance*). Formålet hermed er at lette menneskets varetagelse af sin kosmiske tilstedeværelse, som medlem af en nation, en familie, som individ.

Peblinge-stenene og sivene binder kompositionen sammen. Peblinge-stenene på bredden hentyder velsagtens til sten forvandlet til måtte, mens sivene står i forbindelse med dels den magiske flyvning dels muslingeskallen. Som sådan refererer sivene ikke blot til Egypten, men ligefrem til lys-mørke kosmogonier og til krop og sjæl-dualismer, som Platon introducerede. Derfra tager neo-platonicismen tråden op i form af sin immanenslære og betydningen af det skønne, hvorved en assimilation af rationel teknologi er antydet, associeret med Firenzes modernisering forudskikket kunstnerisk som led i opbygningen af national suverænitet. Ikke alle er dog lige frie, men alle har ret til at finde sin plads i verden – *Cosmo*.

Som sådan videreudvikler *Venus' fødsel* temaet, gengivet i Botticellis maleri *Adoration of the Magi* (1475) i en mere kontroversiel retning, sammenlignelig med den militante sækularisme og gryende nationalisme , som allerede fandtes i Toskana på dette tidspunkt. Jeg ser ikke nogen mulighed for at fortolke den magiske flyvning ved englene som udtryk for vindguder, således som James H. Beck og andre foreslår. Botticellis inspirationskilder var filosofi, alkymi og naturen. Sammensætningen med *Primavera* forlener dog samtidigt kunstværkerne med et personaliseret strejf, der inviterer til refleksion.

Dér, hvor gåderne stopper, begynder brugen af de maleriske virke-midler, som gør maleriet umiddel-bart tilgængeligt. Den rosa farve er

25

med til at fremhæve hvid, det vil sige muslinge-skallen, og kon-trasterer samtidigt den flyvende herres blå kappe, der afgrænser snart den blå nuance i horisonten snart forskønner Venus' bare krop. Begge farvemæssige greb forholder sig til skildringen af den flyv-ende herre og er med til at skabe proportion i maleriet. Anstands-damens ansigt er indfarvet i elfenbens-farve og følger reglerne for, hvilke farver der må tages i brug for at skildre folk, der svæver i luften. Der er tale om en tekstbogs-mæssig brug af farveperspektivets regler, hvor gradueringen af farven anvendes dels til at illudere afstanden fra det menneskelige øje dels til at fortætte fortællingen i maleriet. Dette er understreget af vedbend-gevæksten på træerne i mellemforgrunden, der fokuserer blikket på forgrunden, og interaktionen mellem figurerne. Brugen af skyggen på muslingeskallen er her anvendt til at frem-hæve handlingen eller fortællingen i maleriet, mens bevægelsen i havet er antydet let-svært. Til gengæld er Venus' bølgende hår skildret på smukkeste vis - det holdes sammen af et lysseblåt bånd.

Hvad er det så, der tildækkes ? Det, der er tildækket, er konflikten mellem en patriakalsk og matria-kalsk kultur, den romerske og den etruskiske. Den sidste kultur skal der pustes liv i. Lykkes reinkar-nationen ikke i første omfang, så måske i næste, eller næste i igen, eller næste igen. For den tekno-logiske civilisation er kommet for at blive. Det er pointen med brugen af luftperspektivet i maleriet.

Venus' var i Medici-villaen opstillet sammen med Botticellis *Primavera*, hvor kvindens motiver eller udvikling som vellystig mø-skøge-ægtefælle er skildret – bronze-støberier var i den etruskiske tid knyttet til det landlige aristokrati. I maleriet er dette sammenføjet med de tre dyder og Merku-rius, guder for vejr, intellekt, og sendebud. Merkur har her en vis fysisk lighed med Lorenzo Medici som ung, mens den ene af dydsternerne kan være inspireret af en af døtrene fra Sforza-familien, Milanos fyrste-familie. I *Venus*, til gengæld, forekommer synsvinklen omvendt nu at handle om adgangen til ekstasen, provokeret af Skønheden og den magiske flyvning. *Venus fødsel* modsvarer i den forstand en reevaluering af ekstasen, påbegyndt allerede i Bellinis *Hellig Allegori*, som middel til at blive inkorporeret i det hellige eller i de kosmiske sfærer. Magiske flyvninger har imidlertid sit eget dobbelttydige sprog. Den magiske flyvning er her dels et *symbol på* ønsket om toskansk natio-nal suverænitet dels udtryk for Botticellis stræben efter at deltage i og medvirke til åndelig forny-else af den toskanske kultur. Det vil sige, at magiske flyvninger udtrykker et ønske om at transcen-dere og om frihed – og i sidste instans kunne lede til Fyrstens apoteose i himmelen.

Flyvningen oversætter i den forstand plastisk evnen for visse individer til frivilligt at forlade deres kroppe og at rejse i ånden i kosmiske domæner. Man foretager en sådan flyvning som offer, i hel-bredelse af en sygs sjæl, hjemsøgt af dæmoner, eller i søgen efter den dødes sjæl mod nye mål. Det er selvsagt muligt, at der udover disse målsætninger med ekstatiske rejser af kollektiv religiøs art, parrallelt hermed kan ske og sker en forfølgelseaf egne spirituelle behov. Der kan i den forbindelse indgå initiationsriter på død og genopstandelse, hvor der sker et forbud mod at rejse mod himmelen eller helvede. Ifølge sagens natur indebærer en ude-af-kroppen-oplevelse en følelse af død: at for-lade og reintegrere sin krop er imidlertid ikke nødvendigvis forudsat af en formidling af filosofiske systemer, men blot en dialog – ofte formidlet af en kvinde (kilde: Mircea Eliade *Mythes, rêves et mystères*). Heraf levitationen i Flora, der ansporer til ekstasen ved Skønheden og den magiske flyvning. Flora er samtidigt synonym for Firenze, det blomstrende sværd, som erobrede de omkringlig-gende byer og afsatte Viscontierne i Milano, beskytter af dyden og dens forening med eros. Måske handler ornamenteringen af trævedbenden i *Venus' fødsel* da om aftryllelsens fortrædeligheder, mens den frodige stilisering heraf i *Primavera* signalerer et mageskifte, sammenlignelig med en sympati, som onkel og nevø deler med hinanden ?

Hvor ekstasen er overvejet men herefter forladt i Bellinis *Hellige Allegori* som led i fremstillingen af kvindelig emancipation og brugen af Den Anden i samfundene, er ekstasen reintroduceret i *Ve-nus' fødsel*– provokeret af Skønhedens gudinde og en magisk flyvning, sammenlignelig med Ve-nedigs relative førerposition og Firenzes rivalisering med Rom, hvis ledere efterstræbte Medicierne. Den første tilgang er individ-orienteret og almen, den anden kultur-baseret og aristokratisk. Husets frues indsigt i og placering i traditionen bliver samtidigt annammet, og lige så mandens udvikling og varetagelse af sine opgaver. Pointen er, at det ikke er nok at komme fra en god familie. Der skal også arbejdes for sagen, for at *take-off* kan finde sted. Det er igennem valget af folkloristisk motiv – den magiske flyvning – at bemyndigelsen til en vis forankring af parrets lykke og fremtid finder sted.

Dette kan så kobles til den etruskiske tradition for forfædrene-kult, Genius - *Farthan* (etr.), der ety-mologisk er associeret i passiv formen *farthnache* , det er blevet genereret. Venus' annammer og in-tegrerer så at sige familiens suverænitet med den mytologiske oprindelse af deres *genos* . Det kan tilføjes, at netop kvinden og mandens regenerative kraft blev dyrket som middel til at fremme ari-stokratiet af etruskerne, og lige så erkendes gudernes uforudsigelighed og deres mangfoldighed samt tilstedeværelsen af mindre guder (kilde: *The Etruscans –* Palazzo Grassi, 2000). Motivet er måske ligefrem mere prestigefyldt. Folk har svært ved at acceptere, at oprindelsen til forestillingen om national suverænitet er knyttet til en apoteose af Fyrsten i himmelen, forudskikket kunstnerisk som en himmel-rejse. Spørgsmålet er imidlertid om en sådan personlig gave også er godt for men-neskeheden ?

Fortællingen i malerierne *Primavera* og *Venus* modsvarer i den forstand en nostalgi efter dengang heste kunne flyve, som er tilfældet i Ara Tempelet i Tarquina, eller længsel efter den heroiske tid, eller *illud tempore* hvor guderne ligesom var tættere på i templet, i himmelen, på jorden, under jor-den og i skoven, hvor Dionysos - – en kultisk rite populær på Volterra-egnen - boltrede sig med der-til hørende dualismer mellem krop-sjæl (Parmenides). Netop forbindelsen til de overjordiske kræf-ter udgjorde en vigtig del af monarkiets legitimitet hos etruskerne, og forklarer hvorfor romerne fandt tilegnelsen af etruskisk kultur så attraktiv (The Etruscans, Palazzo Grassi, 2000). Men heri lå der altså også en faldgrupe: Fyrstens apoteose i himmelen. For fuldstændighedens skyld kan det nævnes, at had-kærlighedsforhold ikke trættede Botticelli, for han påtog sig snart at illustrere Boc-caccios fortælling *Nastagio degli Onesti* til en fornem herre fra Ravenna, Italiens primære center for byzantinsk kunst. Netop Boccaccio, Petraca og Dante gav i øvrigt Italien dets *lingua franca*, den bløde fiorentinske dialekt. Det er brugen af magi og pneumatiske fantasmer til at forny civilisatio-nen, som står i centrum i maleriets fortælling. Mens mytiske motiver i samtiden nærmest er kon-vention i aristokratiske kredse i Toskana, er ekstase usædvanlige i det europæiske maleri, og kombinationen i malerierne enestående. At handle og være forenet i Kærlighedens gudinde som middel til at overvinde religiøse dualismer, forestillingen om at kosmos og mennesket er kamp-pladser mellem det gode og det onde, at ånde sammen og at blive sig selv i elskov er vel pointen i maleriet.

Botticelli tilslutter sig dog ikke så meget en tværkulturel filosofisk og pluralistisk åbenbarings-teologi *a la* Ficino-Pico, som han annammer eros-*tekne*-patria og assimilerer dem med slægtens videreførelse, kvindelig udvikling og mandens ditto i varetagelsen af Mediciernes førerposition i samfundet. Botticelli spiller med *Primavera* på kvindens motiver for at indgå ægteskab og udtryk-ker at det var en god fangst og søger med *Venus* at forankre håbet om endnu en foreningsproces af den italienske halvø under toskansk lederskab i en af dets ledende familier. De to kunstværker for-lener på den facon malerisk legitimitet til Renæssancens valgsprog: *Styrke, Klogskab, Retfærdig-hed og Selvbeherskelse i en ånd af Tro, Håb og Kærlighed.*

30

Ekstaser er i det europæiske maleri tilsvarende sjældent afbilledet. Vi kan ikke ignorere Caravag-gio's Saint Francis og Poussin's Sankt Pauls, to malerier som antyder at kirken nu har tilegnet sig Botticellis motiv og lige så beretter om behovet for kompromis mellem officielle myndigheder og det magiske som et grundvilkår for de kreative kunstarter, indtil det tidspunkt i det europæiske maleris historie er nået, hvor mennesket hævder sig både mere frit og mere lærd end nogensinde før i historien, fordi den gode smag nu ville antage form af en iscenesættelse af både det sande og det skønne, mens visualiseringer som ladet med eros bliver et middel hvormed masserne kan blive forført og manipuleret med. Ude-af-kroppen-oplevelser, sjælsrejser, nye erkendelser synes til gen-gæld at være en fællesnævner for udenomsverdslige rejser igennem historien (Kilde: Ioan Couliano *Otherwordly Journeys – From Gilgamesh to Einstein*).

Den magiske flyvning kan kontrasteres med hierogamier under Moder Jords beskyttelse, et ekko af hvilket er givet i Pierro della Francesco's skildring af Madoninaen, Barn, Englene & Frederico Montefeltro – Urbino, hvor en *ab ovo*-fortælling i kombination med en himmelvendt muslingeskal udfolder sig under rosetter i en kirkelig alkove. Tænk at den slags mennesker findes endnu, igen-nem hvilken verden forandrer sig.

Skildringen af kvindernes påklædning i tidens dragter i *Primavera* og *Venus* vidner om en langt me-re sofistikeret interesse for den kvindelige krop og dens former, end hvad der

31

hidtil er accepteret som god smag i det europæiske maleri. Ægteskabelig kærlighed og bryllupper er i stigende omfang nu et accepteret emne i det europæiske maleri – også dette har eftertiden Firenze at takke for. Der skal imidlertid ikke tegnes noget glansbillede af tidens matrimoniale standarder. Livet var kort, hårdt og brutal. Og folk flest giftede sig unge. I stigende omfang blev det accepteret, at giftermål skulle ske af kærlighed, og det er et synspunkt som de to kunstværker kan tilslutte sig – i tidens ånd.

Det hører med til historien, at Giuliano Medici blev dræbt i Pazzi-konspirationen i 1478. Kort tid efter skete der en del opstramninger i den politiske styring af Firen-ze. Modtageren af malerierne, Lorenzo di Pierfranceso de Medici patroniserede i øvrigt Amerigo Vespucci (th), der i 1497 landede på det kontinent, som kom til at bæ-re hans navn i hælene på Columbus, der i 1492 stod i land på Guanahi (Baha-mas-øerne). En af Amerigos slægtninge var Simonetta Cattaneo Vespucci, Botti-cellis muse. Hendes skønhed skulle have været legendarisk – og hun smiler endnu til tilskueren, som siden det 16. århunderede har været Uffizzi-galleriernes besøg-ende. Amerigo, Simonetta & Alessandro Filipepi – er alle tre begravet i Allehel-gens-kirken i Firenze.

Amerikaneren Mary D. Garrard (2010) argumenterer i *Brunelleschi's Egg* , ligefrem for en radikal, feministisk nyfortolkning af det europæiske maleris historie. Hun bevæger sig ind 'i ridserne hinsi-des hjorden'. Det er Simonettas stemme, som er inde i maleriet, mener Garrad. Han sendte hende i forvejen. Han lod hende smutte, hun døde såre ung.

Hendes analyse af Botticellis Venus' fødsel er da, at maleriet udgør en fatal afsporing i det europæiske maleris historie. Lykkens *pamphilius* har nu ganske mistet grebet om virkeligheden og i stedet *identificerer* Botticelli sig med englen i et forsøg på dels at lappe sin sjæl sammen dels at kommunikere et sjæleligt brud, idet han projicerer sin sjæl op på lærredet: Sandro er i himmelen. Kundalinien er steget ham til hovedet. Muslingen, som er det eneste objekt, der kaster skygge, kan identificeres med rene platoniske former, og der-med mandens monastiske fristelser. Og så er der Francis Bacon, der knepper din mor igen og igen, når han fremsætter sit syn på videnskab som induktiv metode til samfundets bedste med henblik på at beherske naturen: Garrads guddommeligt dekonstruktivistiske argument er, at det europæiske maleris historie er en lang manifestation af dannelsen af strukturelle dyader, organiseret omkring Natur-Kunst , som binære koder. Hendes tese er, at kunsthistorien da må forstås som en laang tra-dition af mænds forsøg på at beherske naturen, der fungerer som en metafor på kvinden, der sam-tidigt har ledt til en maskulinisering af den menneskelige sjæl – den kvindelige såvel som den man-delige. Definition af objekt-subjekt-relationen følger heraf og er med andre ordre ord kønsladet – i stedet skulle maleriet være animeret af en mere tidssvarende interaktion mellem kønnene. Ja med Botticelli's Venus' fødsel er der tale om en homo-social begivenhed i det europæiske maleris histo-rie, der lægger kimen til dels en radikal subjektivisme og forvandling i maleriet, der knytter hemme-lige tråde til den florentinske mannerismes afvigelser samt kunst-for-kunstens skyld dels til Picasso, snart til Malevitch' hermetiske realisme snart til De Abstrakte. Eller er det Mary D som har lesbiske tilbøjeligheder, fordi hendes mor ikke ville tillade hende at være kvinde, og at hun kunne myrde sin far herfor ?

Fortolkning:

Der er indrettet en bolig for et moderne par med to malerier, der afspejler to forskellige aspekter af det erotiske – det private – og påberåbelsen heraf som led i en genfødsel af den antikke verden i både ny dragt og med nye toskanske magteliter, som Medici-familien er en del af. Kirken og Medi-cierne har med andre ord et fælles udgangspunkt – krop-sjæl-dualismer – og vælger to forskellige veje for mennesket at undslippe denne: Kirken ved teologisk moral, Botticelli med ekstasen ved Skønhedens Gudinde og den magiske flyvning. I begge tilfælde er kosmos et nodalpunkt, mens mennesket udgør et mikrokosmos eller vikar for Gud-på-jorden.Tjener afbilledningen af Venus også påberåbelsen af Firenzes muse, beånder englene fællesskabet via modtagerne af malerierne. Kombinationen af *Primavera* og *Venus* aktualiserer historiske kulturlag i malerisk form, og tjener et dekorativt formål i et privat hjem. Husets frue, hendes udvikling som kvinde og videreførelse af slægten og den fortsatte udvikling af den toskanske kultur står i den forstand under *pater familias* beskyttelse, der i dette tilfælde er Lorenzo Medici, Fyrsten af Firenze. Der er tale om en upersonlig erindringskæde for så vidt der tillige er tale om en forfædrene kult, som den udkårne skal forholde sig til, engang hun er blevet mor: *Augurii Arringatore!*

Det modsvarer en oversættelse og videreudvikling i malerisk form af eros' altomfattende og indgri-bende karakter, sammenlignelig med Medici-familiens ambitioner og Renæssance-tidens integra-tion af det erotiske til at fastholde og udvikle mennesket i fællesskabet. Dette kan forklare virk-ningen af maleriet, der for *Primaveras* vedkommende er betydeligt mere indtagende, end *Venus' fødsel*, der giver et nærmest fadt indtryk. Men sammensætningen af malerierne gør det stik mod-satte: Den er en raffineret og nænsom rejse ind i menneskets sjæl, i kønnenes udvikling og kærlig-hedens væsen og dermed kulturens berigelse. Hensigten har været at opfordre parret til at føre slægten videre og betrygge den udkårne i sin rolle, at opfordre parret til at berige hinanden og modvirke eventuel seksuel ambivalens hos hverandre. Eller ambivalens ved forandringerne i sam-fundet. Implikationen er, at der eksisterede nogle lokale magtstrukturer, som bød den fyrstelige orden trods, som husets frue kunne medvirke til at mildne til støtte for sin mand.

Den fortælling, der derudover viderebringes, af Botticelli handler dels om nogle malermæssige ud-fordringer vedrørende perspektiv, bevægelse og luft dels om hvordan forandring i samfundet lades erotisk og den måde, som myndighederne reagerer herpå, og hvilken betydning dette har dels for kunstneren dels for videnskabelige fremskridt dels for akkulturationens vilkår. Dette er både en mere bredtfavnende og arkaisk tilgang, tilpasset opgavevaretagelsen, end i Bellinis Hellig Allegori. Velkommen i familien-find din plads i verden-husk folket!

Det er derfor noget mere sandsynligt, at en konflikt med Pavestaten – institutionelt som teoretisk – for ikke at sige konflikter over gudsbegreber lægger til grund for Botticellis relative få udsmykningsopgaver i datidens Italien, sammenholdt med talentmassen i øvrigt. Botticellis Venus' asso-ciering med dels toskansk national suverænitet dels med en af Firenzes ledende familier såvel som kønnenes individuation i kærlighed, og den samtidige formodede brug af maleriet som flag af Medicierne ved toskanske bystævner, er til gengæld med til at forklare, hvorfor brugen af lærredet blev så udbredt i det europæiske maleri. Maleriet stod færdigt i 1483-4, men kom til at præge eftertiden. Som sådan har *Venus'fødsel* været en overvældende succes i kulturhistorisk henseende.

Efterhånden som den dogmatiske intolerance og dominerende ånder tager over i Firenze, deltager Botticelli nemlig i afbrændningen af nogle af sine mere erotiske malerier. Savonarola agerede så at sige i en jord, gødskede af tidligere pavers modstand mod skildringen af nøgne damer, selv i myto-logisk form. Savonarolas reformbevægelse gjorde ham hurtigt populær og indflydelsesrig i Firenze, og fordi han knyttede konsolideringen af et kristent samfund til en folkeligt forankret regering, som han hævdede i højere grad passede til fiorentinernes intellekt og følelse af frihed samt ønske om en mere ligelig fordeling af dens velstand. Heri var han inspireret af både Aristoteles, Thomas Aqui-nas og Pico della Mirandola, som han var venner med. Og der var tale om en kosmologisk kamp mellem gud og satan. Hans styre skulle blive kortlivet og han blev sidenhen ekskommunikeret af kirken. Dette svækkede hans folkelige appel så meget, at han til sidst blev henrettet af byens led-ende familier. Dette blev til gengæld Machiavellis åbning, idet han sondrede mellem moral og politik. Denne forestilling vendte Fr. II af Preussen sig langt senere imod i sin Anti-Machiavel, mens kirken snart koopterede snart indgik på kompromis med de magiske kræfter, indtil det erotiske blev enten forvandlet, privatiseret, instrumentaliseret eller marginaliseret i konfrontation med de protestantiske sekter, der støttede sig dels på hebræisk republikansk eksklusivisme – næret af progromer - dels anvendte erotiske fantasmer og en ny billedstrid som angrebspunkt på vegne af de lokale nordeuropæiske fyrstehuse og de troende. Da var det, at kirken ikke tøvede med at forvandle Ur-åbenbaringens spændstighed med udleveringen af kvinder til Heksejagtens bål, placeret centralt i Inkvisitionen som nattergalen i sit bur. En vis artisanal, folkeligt forankret tradition gør sig således gældende i Toskana, som kun overfladisk er påvirket af interaktionen med andre kulturer. Institu-tions-opbygning var ikke et emne, der vejede tungere end opfyldelsen af almenmenneskelig behov og det spontane. I en sådan verden er det godt at have både en *Primevera* og en *Venus*.

Pavestolen, som Medicierne snart skulle blive leveringsdygtige til, skred til sidst ind, og sørgede for, at Botticelli fik nogle udsmykningsopgaver i det sixtinske kapel. Heri var han støttet af Michel-angelo, som rivaliserede med Leonardo da Vinci. Antagelsen i Renæssance-tiden var, at en række eksperimenterende nyorienteringer kunne sondere mulighederne i en verden, hvor mennesket hver-ken var kommet ud at flyve endnu eller havde lært at beherske naturen, og hvor filosofiske land-vindinger skal forstås på baggrund af kulturhistoriske forandringer, som det europæiske maleri dels deltager i dels formidler i en tidsalder, præget af opfindelser og opdagelser. Det er først langt senere i det europæiske maleris historie, at der skulle blive taget stilling til problemstillinger, repræsenta-tionen af naturens landskaber rejser. Inden da skulle Leonardo da Vinci revolutionære portræt-kunsten gennem sine naturalistiske skildringer og tage hul på visse problemstillinger vedrørende luftperspektivet og derigennem repræsentationen af konkrete objekter i naturen – hinsides det dekorative.

Primavera (1476).

RAPHAEL

Baldassare Castiglione, 82 x 67, (1515) – Louvre

Dette vidunderlige portræt af Rafael gælder for et af de bedste europæiske malerier igennem alle tider. Det forestiller Baldassare Castiglione. Der er tale om et pyramide-konstruktion, og Castig-lione er iført en sort dragt med gråt velour eller pels og en renæssancehat. Der er tale om en trekvart syns-buste, hvor armene er synlige og hænderne foldet sammen om hinanden. Der er en guldknap i dragten og han bærer en hvid bluse med blæser. Personen træder tydeligt frem mod baggrunden takket være den fine streg, som den portrætterede er tegnet op med, et kendemærke for Raphael. Der går en skygge fra hans ryg mod væggen, malet i grålig nuancer, og hans venstre arm læner sig op af hvad kunne ligne en trappeafsats.

Italiens mange stater gjorde det nødvendigt med en vis etikette mellem fyrsterne. Hertil krævede mere end udveksling af malerier. En omgangstone og en vis nåde var påkrævet, og lige så *sprezza-tura*, denne lethed hvormed vanskelige affærer og komplekse problemstillinger blev taget op og vendt og drejet i lyset af de idealer, som omgangen med hinanden og opretholdelse af orden i sam-fundene tilsagde. Vi er i Urbino i Umbrien. Og hofetiketten er nedskrevet af hofsnogen: Baldassare Catiglione. Han ønskede at belære sine læsere – Italiens prinser og *cortigiani* – om, hvordan de bedst kunne udtrykke deres fædrelandskærlighed og kærlighed til folket.

Mildhed og Styrke, Lærdom og Medfølelse udtrykker hoftjeneren fra Urbino, der velsagtens rum-mede et af den italienske Renæssance mere velassorterede biblioteker, og bibliotekets var Fyrst Frederico de Montefeltros d'Urbino, der systematisk indsamlede og lod bøger kopiere fra alle-verdens samlinger: Vaticana, San Marco-biblioteket fra Firenze, Visconti-biblioteket fra Pavia, Oxford-biblioteket og alle større forfatteres værker: Thomas Aquino, Albertus Magnus,

Bonaventu-ra, Dante, Petrach, Boccacio , Sofokles, Pindar, de græske kirkefædre samt større og mindre ånder indenfor Humaniora. Alt sammen vidnede det om den vægt, som humanisterne opnåede i Renæssancen i konkurrence med pavestaten. Og det varede ikke længe, førend Medicierne begyndte at gøre Montefeltroerne kunsten efter og opbyggede et bibliotek i Badia Fiesolana.

Kompositionen er pyramidal. Der er tale om et oliemaleri på lærrede.

Udgangspunktet for portrætkunsten er, at maleren skal gengive og forskønne den portrætterede, uden at udvande ligheden, beskrive denne som vedkommende burde være, ikke blot som han/hun er. Varetagelsen af beskrivelsen af den portrætteredes væsen, hans indre og sjæl, det væsentliges sandhed, rejser til gengæld spørgsmålet om portrættets elementer: posering, mine, hår, dragt og fremtrædelsesperspektiv.

En synsvinkel set let nedefra øger værdigheden, en rank holdning giver et handlekraftigt indtryk, et stærkt bevæget mennesker virker som et dygtigt menneske, en abrupt drejning over skulderen gen-giver inspiration, sammentrukne øjenbryn afspejler beslutningsdygtighed og opmærksomhed. Skil-dringen af hår, dragt, lys og skygger i ansigtet, tydeligt markerede træk, spillet mellem miner og hænderne kan bidrage til at beleve den portrætteredes indre i de ydre træk. Individualiseringen af personskildringen begrænser sig til de mest typiske træk. Disse to ting tilsammen vil kunne forlene portrættet med åndelighed, mente italienske Lomazzo (Kilde: Werner Busch *Das Sentimentalische Bild*).

Portrætkunsten blev sidenhen videreudviklet af Leonardo da Vinci, der navnligt interesserede sig for kom-parativ anatomi og fysiognomi, hvilket vi allerede har studeret. I den neoklassiske periode tager man imidlertid disse to dimensioner – portrættets elementer og beskrivelsen af menneskets træk - op til fornyet overvejelse i tidens ånd og i håbet om at kunne formulere en lære om forbindel-sen mellem skildringen af menneskets fysiognomiske træk og skildringen af både det indre og ydre, mellem fysisk fremtræden og moralsk karakter.

Raphael bygger i høj grad på konventionel portræt-teori i sin skildring af denne hilsen til hjemmet af bortrejste Baldassare Castiglione.

Han blev født i 1483 i Urbino og døde i 1520 og blev således blot 37 år. Han kom i lære som 17-årig hos Perugino i Urbino. Og tog i 1504 til Firenze for at studere Da Vinci, Michelangelo og Massacio. Sammen med Da Vinci og Michelangelo udgør han et gyldent trio Renæssancen. Antallet af mesterværker fra hans hånd udgør en betydelig lang liste og omfatter bla. en række madonnaer, Transfigurationen

BELLINI

HELLIG ALLEGORI , 73 X 119, UFFIZI-GALLERIERNE, 1505.

Hellig Allegori

Dette dejlige landskabsmaleri er malet af Giovanni Bellini.
Maleriet er fra ca. 1505, og er malet over en længere årrække.
Dette kapitel samler op på tid-ligere forsøg på at fortolke "*la*

terrazza del mistero"og gør dette på omfattende og tilfredsstillende vis[1].

Billedets motiv:

Maleriet heder *Hellig Allegori.*

Ioannes Bellinus pinxit 1505. Hellig Allegori er et hans mere komplekse malerier. Maleriet gælder som et af hans vigtigste. Vi ser puttier, Jomfru Maria og Sankt Peter i okkerfarvede dragt med folder. Både Job og Sankt Sebastian er tilstede på skulpturel vis. En arabisk mand er på vej ud af en frugtbar ager, hvor der befinder sig adskillige træer uden blade. Der er en hyrde i en hule, en kentaur og en hermit i mellemforgrunden. I venstre mellemgrund er der et ør-kenlandskab, en latinsk middelalderby i forgrundsbaggrund, og i baggrunden en *Bottega* og et borgslot mellem skov og bjerge.

Med hvilken komposition ?

Der er anvendt liniærtperspektiv med skalering, som angivet i de tre lodrette linier i balustradens stensætning med firkanter imellem i midten af maleriets forggrund. I stensætningen forefindes der lige så retvinklet sten, som snart er en opfodring til at stole på sin dømmekraft snart et læsetip. Tematisk indgår der to horisontal akser i maleriet. Den ene ved bredden, den anden fra trappen tværsover. Der er tale om en videreudvikling af det dramatiske *close-up*, hvor-med malerne i 1400-tallet

---

[1] Graziella Magherini, Antonio Paolucci & Tempestini *La Terrazza del Mistero.*

44

søger at inddrage beskueren i maleriets fortælling på ikonografisk vis gennem brug af figuration i forgrunden og bibelfortælling i mellemgrunden. Havet skaber kompositorisk ligevægt mellem massen og far-verne i maleriet. Det sker på en helt ny måde i forhold til det tomme rum i den ikonografiske mosaik, som man kan studere i byzantinske mosaikker.

Eller rettere: Der er tale om en ombearbejdet ikonostase i malerisk form, hvor horisontalakserne adskiller balustraden fra forgrunden og fra mellemgrunden. Korset på øen betyder, at der snart bliver tomt, og signaliserer, at der findes udviklingsmuligheder indenfor malerkunsten. Eller som Montaigne formulerer det: "Ligheden gør ikke så meget ens, som forskellen gør forskellig".

Jomfru Maria er sat i arkaiserende stil, og skildret i en dragt af dyb marineblå (lapislazuli), hvidt tørklæde og rubinrød t-shirt, der spiller i puden. Jomfru Maria repræsenterer kirken og Det nye Testamente, men hun gør det under en parasol med vindruer, dvs. med behersket entusiasme.

Hun sidder på Jesu Herrens Trone, der er udsmykket med Marsyas-myten, som handler om en dobbeltfløjte, forlagt af Athene. Hun nedkaldte en forbandelse over den, som ville samle den op. Og dog så samlede satyren Marsyas fløjten op, og blev snart udfordret til fløjte-duel af Appollon, som snart anvendte tricks som at vende fløjten nedad snart flåede Marsyas levende og hængte ham op i et træ, til skræk og advarsel for de dødelige, fordi han spillede bedre end Guden.

45

Ikonografien til Marsyas-myten er fælles for Middelhavsområdet.

For at danne kontrast mellem terrassen og borten langs marken, er udsmyk-ningen af trappeafsatsen holdt i naturalistisk stil og i sort, der går igen i terrassens gulv og i kvindens sjal, mens balustraden er gengivet i hvid. Udenfor balustraden er der en mark på langs med sæd og træer uden blade. Oprinde-ligt er Veneto-kvinden sat i levitation, men dette er tilpasset i den endelige version, hvor et mere sofistikeret historie er tilstede. Til gengæld er Jesu-barnet placeret ret frem for trappeafsatsen, hvorfra der går en perspektivisk linie til borgen. For at danne en kontrast mellem araberen der er på vej ud af maleriet og terrassens gulv, er firkanten i midten af maleriet holdt i en sart creme-hvid farve, som understreger forpligtelsen på den ikonografiske scene. Dette er beretningens ord om den højestes kraft, der skal overskygge Maria, siger dét væsentlige, at Gud selv handlede ved at komme til os i pigen Marias søn – i en beretning så stor, at skyerne er skildret asymmetrisk, og forggrunden symmetrisk. Det vil sige, at Gud er stor, og at mennesket er skabt i Guds billede.

Omkring Jomfru Maria, er der to kvinder, hvoraf den ene repræsenterer Dyden, efter klassisk romersk forbillede, den anden kvinde i en sort guldrandede dragt er fra Veneto. De er omgivet af kirkefædrene Paulus med sværd og af Sankt Peter. Til venstre for kvinden fra Veneto er der en arabisk videnskabs-mand, placeret i det som mod-svarer koret. Han er en *pater das* , og repræ-senterer den arabiske civilisation, som er på vej ud af billedet. Til venstre i forgrunden ser vi Job og

Sankt Sebastian - det kan vi se på pilene i knæ og bryst. Job, kender vi fra Det gamle Testamente som den fromme rigmand fra Edomitternes rige, hvor der lå en by der hed Outs (Uz). Sankt Sebastian fik pile i sig i Mauretanien, fordi han gik i brechen for de kristne i den romerske hær. Figur-parret har ikke samme kulør, men er begge iført hvide gevandter, den ene et mellemøstligt lænde-klæde, den anden en etruskisk shorts. Til højre herfor ser vi en kentaur og en præst i mellemgrunden. Paulus vender sig imod araberen og mod Jomfru Maria med sværdet ude af skeden. Jomfru Ma-ria, Dyden, Kvinden fra Veneto, Sankt Peder og Job bøjer sig alle mod midten af maleriet og beder for børnene. Dette må være maleriets vigtigste budskab, hvis logikken fra ikonostasen med udbygninger følges: forbønnen for de små, de utaknemmelig små.

I forgrundens midte vil jeg da råde til, at vi ser fire puttier omkring et træ i et mesopotamansk kar. Drengen på puden er Jesu-barnet. Placeringen af Jesus på jorden (*humi posito*) etablerer på engang et mikro-kosmos og rejser pro-blemet om tilknytning til jorden og dens fornyelse til nyt liv, ved kunsten og maleriet. Der er i stensætning fire større kvadrater, hvilket modsvarer de fire fire hovedscener i maleriet: forgrunden, mellemgrunden (øen), mellembagrun-den (klippeformationen) samt baggrunden (borgvejen), imellem hvilke der kan hævdes at være et hierarki.

Der går således en linie fra Jesu-barnet igennem porten over middelalderbyen til borgen. Træet repræsenter: kosmos, livet, visdommen. Dermed er der antydet på engang en initiationsrite

47

og en rytmisk fornyelse af liv - ved træet, et træ der bærer blade. Heraf balustraden. Spisningen heraf giver adgang til det absolutte. Kvinden som livgiver og forløser efter devisen: *Krop-Hjem-Cosmos*. Udenfor balustraden står Sankt Peter i okkergul dragt læne sig over rækværket og bede for Jesusbarnet. Paulus, det er ham med sværdet i purpurfarvet dragt. Som en af den apostoliske kirkes fædre har han sagt, at vi skal bekæm-pe himlens onde ånder og himmelstormerne. Farvemæssigt spiller undersven-den sammen med og balancerer Paulus, som Cayenne supplerer Paprika. Dydens indre dragt er tilsvarende purpur. Budskabet: Ingen kristendom, uden dyder.

I det omfang der er tale om et hebræisk ordspil *Outs-Etsa-At*, altså By-Rådgi-ver-Træ, er Bellini i øvrigt tilstede i Job. Bellini var vidne til store forandringer i sin tid, og nu hvor hans liv går på hæld, tilsiger måske hans visdom ham, at muligheden for at blive forlenet med udødelighed i en anden verden er gen-nem sine elever. Der kan ikke ses bort fra, at den metalliske karakter af afbil-ledningen af vandet reflekterer, at Bellini anser denne mission som fuldført.

I henhold til den jødiske overlevering – Midrach – er der i øvrigt fire personer, som bliver underlagt tests i Jobs bog: Abraham, Job, Ezechias og David. Abraham blev godkendt og lo, Job blev godkendt og gjorde oprør, Ezechias blev godkendt og underlagde sig, mens David bestod prøven. Tilsvarende kunne man udlede, at Bellini ønsker at bruge sine elever til at udtrykke det europæiske maleris udviklingsmuligheder.

Georgione, Tizian & Tintoretto, Piombo & Lorenzo Lotto tæller alle blandt Giambellinos elever.

Rumligt gør der sig formenligt to opfattelser gældende. På den ene side har vi at gøre med en rum-illusion, der en funktion af objekternes form, således at forbindelsen mellem dem er et produkt af de rumlige dele indenfor hvilke figu- rerne er placerede i indenfor den perspektiviske skaleringskonstruktion, der udgår fra den centrale firkant. På den anden side gør der sig i det dramatiske *close-up* en anden rumopfattelse gældende, hvor tilstedeværelsen af objekterne definerer den abstrakte struktur af rummet i henhold til karakteren af disse objekter eller figurerer, således at struktureringen af rummet afhænger af gra-den af interaktion mellem figurerne i rummet og omridset af deres skikkelse. Interaktionen modificerer i den forstand afstandsrelationerne indenfor rummet. Formålet hermed er, at styrke beskuerens opfattelse af både kulten og værdierne, som Renæssancen ønsker at fremme.

Synsvinklen er let foroven skibsværfts i forhold til det ikonografiske *close-up*, mens slottet er set ligefremt. Optisk set flugter Jesus-barnet med klosteret og borgen, hvor landskabet forsvinder ud i horisonten, og himmelhvælvet. I mid-tergrunden ses to klipper, som giver maleriet kompositorisk stabilitet og en klosterby med to munke hhv. nonner samt en herre med et æsel. Æslet er symbol på beslutsomhed og trofasthed, dog således at hvid typisk indgik i konservative munkeordener såsom cistercienserne og benediktinerne. Klostrene spillede en stor rolle fra senantikken af og langt ind i Middelalderen ved at ud-brede latinsk kultur i Europa. Der er hermed tale om en afstemning af handlingen i maleriet med proportioneringen af de skildrede figurerne og skaleringen heraf i rummet, sammenlignelig med et blik, der vandrer rundt i maleriet.

Dette har en tre-dimensionel virkning: For det første foretager Bellini en for-vandling af det ikonografiske indre rum i interiør-maleriet, som forestået af det siennesiske ikonmaleri (Lorenzetti) indenfor et landskabsmalerisk rum; for det andet er der tale om en formaning til sine elever om, at uden kærlighed og kil-devand duer helten ikke, for det tredje indrammer det vel fortællingen i maleriets forgrund, som associeret med fortællingen i Jobs Bog: " *Se, Herrens frygt, det er visdom, at sky det onde er indsigt*" (Jobs Bog, 28:28).

Ad stier der slynger gik det da mod toppen af præstationen - mod borgen. Ovenfor den rektangulære middelalderbygning i middelalderbyen befinder der sig en ruin fra antikken. Dette understreger, at der tale om en allegori over ønsket om en omfatttende vision for videreudvikling af det europæiske maleri. For mødet med søjler er tilbøjelige til at åbne mennesket op for nye ideer, verdener som måske også er bedre intellektuelt funderet end den kendte. Det vil sige, at vi er de stier, som vi betræder, synes budskabet at være.

Araberne spillede en central rolle både som forvalter og videreudvikler af den antikke arv og som fortolker af den latinske mentalitet. Det var arabiske viden-skabsmænd, som opfandt panteismen og deres interesse for visuel opfattelse og optik, lyset og ekstasen i Islams Gyldne Periode i 1100-1300-

talet, som skulle optage europæisk malerkunst i århundreder sidenhen. Det er også fra araberne, at forestillingen om porte og broer som overgangsriter kom ind i Europa. I Dantes digterværk blev sidstnævnte forestilling ligefrem forvandlet til et spørgsmål om et menneske, som ikke varetager sine opgaver og sit ansvar ordentligt, men der er nu her tale om et forsøg på en kulturel forvandling og et nyt kulturlag snarere end om en original tankegang. I maleriet er dette tema skildret i den latinske middelalderby, foran hvilket *L'asino di Dio* er placeret i horisonten i flugtlinie med Jesu-barnet. Virkningen heraf er at forlene beskueren med en fornemmelse af at være en del af traditionen: *Io non mori, et non rimassi vivo*, hedder det hos Dante. Placeringen af æslet i maleriets forsvindingspunkt antyder en kontrast mellem de døde og de levende, kunst-neren og Guds tjener. Andetsteds hedder det hos Dante: *My course is set beyond the sea.* Opbrud forudsætter ombrud. Uden kærlighed og kildevand duer helten ikke: Godnat Lagune!

Kigger vi videre ind i billedet og mod højre ser vi en ø, *de lykkeliges ø*. Mening-en med øer er at etablere en verden i harmoni med sig selv. Så her er allego-riens evne til at kaste lys over universet og dets muligheder måske klarest illu-strerede. Dette er understreget af ungersvenden i en hule, hvor mennesket dels skabte de første relieffer i form af vægmalerier dels leverer et tip om, at maleriet skal tolkes som et professoralt værk, i det omfang det tillige spille på Platon's allegori over hulen: Imagine you were living in a cave. Ad hulens skrænter synes der at gro mos, som på en ældre kvindes bryster. Der er en Kentaur, der er sat i to-dimensionel væg-relief, der var populær i antikkens Mellemøsten. Heraf udleder vi, at det er en byzantinsk præst, et medlem af Øst-kirken, som er på vej over mod os. Kentauren er på linie med Sankt Sebastian og Job, begge placeret med tre-dimensionel effekt i rummet.

Bevægelse i maleriet *Hellig Allegori* er vel nærmest at identificere i forgrunden, i billedvæggen. Jomfru Maria, Job, Sankt Peder, Den Romerske Dyd er alle skildret let foroverbøjet, og lige så Kvinden fra Veneto er de gået i forbøn for Je-su-barnet, i håbet om den ekstase, hendes blik, betyder. . Enkelte[2] mener ligefrem, at forgrundens syv figurer repræsenterer dyder, der i samspil med skyggespillet mellem figurerne og kompositionen, og skildringen af bevægelsen i maleriet kan forstås som Renæssancens motto. I så fald er Job *Styrke*, Kvinden i sjalet *Visdommen* og Sankt Sebastian *Retfærdighed*, mens Jomfru Maria personificerer Selv-Beherskelsen. Den romerske Dyd er *Troen*, Sankt Peder *Håbet* og Paulus *Kærlighe-den*. Heraf kunne man modsætningsvist slutte, at fremskridtet kan være forudsat af en vis udspaltning ved varetagelsen af fornyelsen af det europæiske maleri ved stensætningen – og i malerteoretisk henseende.

Samspillet mellem figurerne i forgrunden tillader os samtidigt at spørge, om Bellini antyder eller tilslører foreningens muligheder og begrænsninger i Italien. Bygningen mellem klosteret og borgen repræsenterer et tilhørsforhold, formentlig Jacopos *bottega*, en kunstnerisk workshop: Venedig-skolen. Den venezianske malerskole udmærkede sig i øvrigt navnligt

---

[2] Nadia Charbit, femme tendre et delicate.

52

ved god portrætkunst, solid penselføring og en vis selv-iscenesættelse. Det var Jacopo Bellini, der skabte det tre-dimensionelle relief ved at forene komposition og udtrykke følelser gennem brug af farver, gennemtrængt af lys, dvs ved hjælp kolorisme, antitesen til *chiaro-scuro*, som da Vinci, Caravaggio og Rembrandt skulle perfektionere.

Pointen er, at nu hvor Byzans endegyldigt er erobret (1453-) er det væsentligt både at respektere overleveringen og at tilegne sig denne arv i stedet for at vente på andre Guder, som ikke er i stand til at føre dets ideer og tanker ud i livet. I praksis var der tale om såvel beundring og afstandtagen, fredelig og ikke-fredelig sameksistens mellem Osmanli og Venedigs handelsemperium, der ernærede sig ved sit monopol på salthandlen. Marmoren hentede man på Istrien ?

I venstre mellemgrund ser vi et yngre ørkenlandskab af erosionsresistent sandsten med dækklippe, der er gjort af velsidementeret, porøst og luftgen-nemtrængeligt materiale, hvori indgår chalchit og quartz. Der synes at være sat fiskegarn ud – i givet fald en inter-tekstuel reference til Jesu tre Fristelser i ørken. Maleriet gjaldt da som diplomatisk udveksling og som dekorativ gen-stand, lige så fungerede havet som fiskeri og handelsvej. Det lærde blik vil heri dels kunne forholde sig til traditionen fra San Marco-kirken dels forstå en alle-gori på den monastiske fristelse: *forældrehus-ørken-slot*. Dette kan kontraste-res med øens lyksaligheder. Eller: Det menneske, der gør oprør mod Gud for at dyrke sig selv, ender altid med at dyrke den Anden. Det kan sammenholdes med, som allerede Pliny gjorde opmærksom på, at der gælder visse regler for maleriet, som de studerende skal holde sig *in mente,* at malerne har forskel-lige materialer til sin rådighed, samt at der findes forskellige stilarter som de kan tage i brug (Kilde: Sarah Blake McHam *Pliny and the Artistic Culture of Italian Renaissance,* 2013).

Maleriet er badet i lys, lys som virker optisk og mellem figurerne, og i samklang med skyggerne fra balustradeporten og karret, spejlvirkninger fra hyrde og kentaur og trappen og den ro, som præger maleriet. Bellini er en af de første til at anvende lys på denne måde i Europa, og det er ofte hævdet, at hans brug af lys tjener til at indgyde ærefrygt. Det ville være mere præcist at hævde, at lyset og lyskilderne tjener til at understøtte den overordnede fortælling i maleriet og beskuerens varetagelse af dens budskab. Monstro Venedig ikke blot skulle annamme sig Byzans; kar og porten kaster ligefrem skygger som i et skyggespil, i kontrast til de sammenbragte silhouetter, gjort som skulpturer, opmalet og olieret for gennemsigtighed. Dette får det hypnotiserede blik til at vandre rundt i maleriet, som om beskueren skifter karakter fra Job til Sankt Sebastian, et illusionistisk clou der indgår som et aktivt element i både histo-rie-fortællingen og som dække for social kritik. *Hellig Allegori* er med andre ord at forstå som et skyggespil hvor et figurpar interagerer med og fletter sammen med de maleriske virkemidler med henblik på snart at styrke beskuerens op-fattelse af de optiske og litterære kilder til Renæssancens valgsprog snart at rette opmærksomheden mod visse presserende ideer indenfor det europæiske maleri snart rette opmærksomheden mod skaleringskonstruktionen.

Leonardesque er lysvirkningerne alene ved øen og klippen i baggrunden.

I filosofisk henseende er lysvirkningerne for så vidt foreneligt med Plotins vision om sjælen. I Pierre Hadots formulering omfatter denne vision tre led: (1) Sjælen reflekterer tidligere lys, som vi må vende tilbage til (2) Sjælen er afhængig af et Intellekt (3) Intellektet skal opstige til den ene. Guden/ borgen /civilisationen forudsætter med andre ord en indre forvandling. Opstigen til borgen er med andre ord her forudsat af den enhed, som mennesket kun opnår i og gennem kærlighed.

I Bellinis palet indgår azzurit, lapis-lazuli, bitumen, grønne nuancer, gul og okker og brun i forskellige kulører af flydende brune jordfarver. Brun forlener brugen af navnligt azzurit og lapis-lazuli med dybde og bidrager til at gøre fortællingen i maleriet troværdig, i forggrunden som i mellemgrunden, og af-grænser konturerne i det underbyggende design og Bellinis anvendelse af hvid, som indgår i Job og Sankt Sebastian, Jomfru Maria og Araberen samt de to nonner. Det kræver styrke at forny. Der indgår bitumen i kvindens sjal, i gulvet og formentligt i karret. Bellini kunne finde på at bruge bagepapir optegnet med kul bag gessoen, mens arealer med hud og figurerne ofte var let optegnet på forhånd. Denne ufuldstændige brug af skitse tillod samtidigt visse maleriske eksperimenter og er tilbøjelig til at lade de forskellige lag af maling skinne igennem til beskueren, kongenialt med beskuerens varetagelse af fortællingen (Kilde: Bellini, *Mostra – Scuderie del Quirinale*, 2008-09).

55

Job og Sebastian er begge skildret tredimensionelt i kontrast til den i relief placerede kentaur og dog monotont i forhold til de øvrige figurer på terrassen. Dette fremhæver dels det nye menneske dels den farvemæssige fluktuation i skyggespillet ved at fjerne fokus fra studiet af skulpturen som middel til beher-skelse af ny form – den såkaldte *paragone*-problemstilling. Energien i stensætningen og det geometriske skema ledsager dette samspil, et samspil som binder skyggespillet, antydet i mellemforgrunden sammen med bevægelsen i forgrunden, som om denne kan udtrykkes som et samspil mellem skygger og far-ver, ortogonalt med rytmen mellem de fire forskellige hovedscener.

Kvindens fødder er oprindeligt udeladt – som i ekstatisk levitation - men er i maleriet indfarvet som mørke-grønne, der spiller i ungersvendens røde kappe og er komplementærfarve til lilla. Denne tilpasning sigter på, at hun måske blot vil være lykkelig, mens maleren selvsagt skal have mere og andre ambi-tioner - end en Jomfru Maria. Grøn er i øvrigt en naturfarve, der reflekterer eller modtager alle andre farver. Farvemæssigt spiller kvinden i sjalet sammen med ungersvenden, og ungersvenden med Paulus. Indfarvningen af balustra-dens sten følger af samtidens farvelære, og trækker på *Hypnerotomachia Poliphili*. Bemærk den præcise rosa stenfarve ved marmor-firkanten. Rosa kan bla. fremstilles ved hjælp af fortyndet rubinrød farve, opblandet med alumi-nium og yoghurt. Denne nuance indrammer skaleringskonstruktionen, gjort i creme-hvid marmor, og balancerer vel indfarvningen af terassens stensætning, dvs integrerer figurationen ortogonalt med skaleringskonstruktionen. Det vil sige, at der var tale om et lidenskabeligt kærlighedsforhold mellem Bellini og hans kone, udtrykt universelt ved hjælp af maleriets virkemidler som vare-taget af beskueren. Men hersker der *appolinsk* klarhed og harmoni i borgen?

Kvinden og den arabiske sædemand på vej ud af maleriet til venstre er har-moniserede farvemæssigt. Det vil sige, at der gør sig processer gældende i datidens Italien, hvor et kollektivt og individualistisk samfundssyn støder sammen, før en ny symbiose indtræder. Dette ønsker Bellini skal ske i samarbejde med omgivelserne, fordi Venedig er ved at udvikle sig regressivt i politisk henseende, og det som udmærker maleriet er så strømningen af individualitet og de værdier, som beskueren udleder heraf.

Der er farvesammenfald mellem havet og æblerne. Dette signaliserer dels et kompositorisk brud med den Byzantinske mosaik dels påberåber Bellini sig Jesu-barnet som repræsentant for mennesket, som led før os. For det er men-nesket, som er hovedværket, mennesket som født af 'aluminium-stål, støbt som mælk for at blive til knogle, kød og til sidst at iklæde sig Guds kærlighed, inden det får hud på kroppen', siger overleveringen om Jobs fortælling (Kilde: Eisenberg & Wiesel *Job ou Dieu dans la Tempête)*. Heraf indfarvningen af de tre æbler på træet og havet i samme farve.

Sammensmeltningen af forggrund i henholdsvis et ikonografisk *close-up* og bibelsk fortælling i baggrunden var ikke fremmede for Bellini. Det havde alle-rede Mantegna, Bellinis svoger eksperimenterede med. Tilsvarende ekspan-derer Giambellini så at sige på <u>Jesu Præsentation i Templet</u> , og tager skridtet videre i Hellig Allegori. For der er tale en ombearbejning af en altarbilledvæg, som dermed tages til indtægt for udviklingen af landskabsmaleriet, idet korset på de lykkeliges ø da antyder ønsket om at styrke Renæssancen ved at videre-udvikle maleriet. Da Konstantinopel er faldet og dermed den sidste illusion om romersk enhed bristet, må en anden kult til. Hellig Allegori (1505) er således ikke så meget indbegrebet af den hellige samtale i paradisets have, som anført i kataloget til 2008-udstillingen i Roms Scuderi, som et oplæg til en dialog med Mantegna, en overlegen landskabsmaler, og hans maleri *Agony in the Garden* (1455). Mantegnas maleri tager afsæt i et bibel-citat fra Johannes Åbenbaring, der handler om 'det slagtede, men dog levende lam', der troner midt i himme-lens menighed og synger Guds lovprisning. Det er denne "store hvide flok", som rummer alle slægter fra Adam og Eva, og frem til vor egne afdøde, der er ur-kilden til det åndelige liv i den ortodokse kirkes liturgier og fromhedsliv   (Søren Prahl , *Ikoner*, 1987). Denne kult forvandler Bellini nu i maleriet, og svøber Job & Sebastian på den ene side, og på den anden side iklæder Jesu-barnet, Jomfru Maria og Nonnerne i hvidt. Hvid forener de optiske og litterære kilder til erkendelsen af værdisættet i ønsket om at danne en modvægt på den italienske halvø, sammenlignelig med forskellen mellem Jobs og Sebastians beklædningsgenstand. Farvelægningen understøtter for så vidt den kosmiske liturgi – det ydmyge får er ej i himmelen; de opholder sig nu på de *lykkeliges ø* ved hulen, mellem hulen og trappen. Så her er der et eksempel på, hvordan Bellini undertrykte, inkluderede og forvandlede traditionen for at argumentere Renæssancens sag antitetisk. Og dermed kaster han vel samtidigt indirekte lys over visse forhold ved Venedigs styreform – der var karakteriseret ved kriger-ske handelsfamilier forenet under en enevældig fyrste, som var tilbøjelige til at kræve handling på en måde, som ikke nødvendigvis stemte overens med Venedig-republikkens sande interesser og varetagelsen af dens rolle på den italiske halvø. Den implicitte forudsætning er, at fyrsten kunne råde bod herpå ved at indrette et andetkammer, hvor aristokraterne kunne herske, og et parlament hvor større konsultation med folket kunne bidrage til at tøjle Fyrstemagten.

Opdragsgiveren til maleriet menes at være Isabella d'Este til Mantua-Ferrara, som både Mantegna og Bellini arbejdede sammen men, og som indgik i en dy-nastisk alliance med Sforzaerne i Milano. Isabella d'Este har sikkert været for-bavset og rørt over maleriet, og at Bellinis tanker kredsede omkring hende. Det sker med den dobbelte målsætning: at berette om, *hvorfor* man satte andre værdier i stedet for de sen-romerske, og *hvad* kilderne hertil er, uden at pånøde omverden dem, altimens man overlader det til beskueren gennem samspillet med skygge og figurer, komposition og perspektiv at varetage for-tællingen i maleriet, og *samtidigt* støtte videreudviklingen af maleriet i en vanskelig politisk situation på den italienske halvø. Det kan derfor næppe heller overraske, at det relevante tekststed, som Renæssance-valgsproget trækker på, er hentet fra Paulus' brev til Korinterne, der handler om kærlighedsbuddet midt i en tilsvarende opbrudstid.

Tilbage står spørgsmålet om araberen. De litterære kilder til fortællingen i *Sacra Allegoria* er utvivlsomt Ibn Rushd's *Fasal al-maqal* og *Kashf 'an manahij al-'adilla* . Abu Mohammed Walid ibn Rushd er personificeret ved araberen på vej ud af bille-det. Den første fatwas problemstilling er tro og fornuft, og om religion og åbenbaring lader sig forene i en modsatrettet proces af erkendelse og benægtelse, af inklusion og eksklusion, mens den anden fatwa giver et bud på et *credo*, givet situationen i de arabiske politiske samfund, sammenlignelig med de andalusiske berber-dynastiers status som herrer og fremmede i eget land. Det vil sige, at araberen forestiller Ibn Rushd, og at Ibn Rushds *fatwa* blev undfanget i en periode med svage institutioner og interne uoverensstemmelser indenfor det almohadiske samfund. Heraf behovet for et defensivt for-svar for en rationelt argumenterende religion. Vi ved med sikkerhed, at disse værker fra 1100-tallet befandt sig i Venedigs biblioteker - det er over deres læst, at Renæssancens valgsprog er skruret sammen, beretter Bellini (Averroès– *Discours décisif*). Pointen er vel, at Venedig har en rolle ved foreningen af Italien, forudsat at det ikke bliver for krigerisk, for autokratisk.

Giambellino var påvirket af Byzantinsk og Gothisk kunst, han kendte malerier fra Nederlandene - Brueghel og Rogier van der Weyden – samt fra Albert Dü-rers hånd. Han var stærkt påvirket af Donatellos skulpturer, og af Mantagnas værker, studerede Pierro Della Francesca og Da Messina, og indoptog påvirk-ninger fra Padoua-skolen, hvor man gør brug af intarsia-lignende teknikker - her findes der også en Eremitter-kirke som både Giotto og Mantegna arbej-dede på. Bellini var kendt som en maler, der holdt af at eksperimentere med materialerne og med forskellige teknikker. Som grunder brugte han *tempera*, og

60

han anvendte mange lag af maling. Hans flydende penselføring gjorde ham i stand til at skildre mennesker og deres tøj med stor ekspressivitet og følsom-hed, og lige så lys, landskab, dyr og skyer. Om nogen er Bellini ansvarlig for at løfte niveauet i det italienske landskabsmaleri (*IHT* December 13-14 2008). Andre betydende værker fra Bellinis hånd omfatter Kristi Genopstandelse, Jesu præsentation i Templet, Jomfru Maria med Jesu-barnet samt portrætterne af Fyrst Loredan (1501) & Fra Teodoro.

Middelalderens æstetiske vision var i øvrigt orienterede mod moralsk harmoni og metafysisk udstråling indenfor en teologisk ramme, hvor figurative repræ-sentationer er undtagelsen og overnaturlige væsener bebor naturen - malerier tolkes i overført betydning (Kilde: Umberto Eco. *Art et beauté dans l'esthéti-que médievale*). Da figurationen står i centrum i maleriet og synes at asso-ciere fortællingen i Jobs bog med kvindelig emancipation og lærergerningens trængsler, ville vi selv uden datering kunne datere maleriet til begyndelsen af Renæssancen. Det vil sige, at billeddannelsen er et væsentligt grundlag for vor intellektuelle aktivitet, og når billeddannelsen båndlægges og begrænses såle-des gør vor teologiske viden det også, siger Augustin. Exit glorien om Jomfru Maria. *Enter* beskuerens varetagelse af billefortællingen som grundlag for både varetagelsen af Renæssancens værdisæt og erkendelse af dens realitet i optisk og litterær henseende. Pointen er, at enhver kulturel renæssance er forudsat af et antropocentrisk menneskesyn, og af værdsættelse af kvinden og hendes væsen.

Det kan altid diskuteres, om dette maleri er det bedre landskabsmaleri eller mere repræsentative af Bellinis malerier, men dette vil være at underkende pointen med maleriet, og lige så forhindre en påskønnelse af maleriets opfind-somme fortælling. Bellini forbinder i maleriet på den ene side det mariologiske tema med perspektiv-konstruktionen, som det gælder om at læse og på den anden side at modtage impulser udefra. Dertil foretager han hentydninger til både da Vinci og puffer til Michelangelo. Endelig relaterer han til portræt-kunsten i Venedig.

Renæssancen åbnede nye verdener og tillod institutionaliseringen af det italienske sprog, trykkeriet blev opfundet, og man genopfandt religiøse ideer. Epoken indebar en tilbagevenden til klassisk antik viden med vægt på pædagogik, og hævdelse af menneskets storhed. Politiske ideer vandt frem, og lige så vandt nye religiøse ideer frem. Bellini er maler, hofmaler ved det venezianske hof og fader, født syd for Venedig - og en af Renæssancens fædre. Bellini bliver udnævnt til Venedigs hofmaler i 1483, og har selvfølgelig udviklet både interesser og et pastoralt ansvar for videreudviklingen af maleriet. Venedigs befolkning bestod dengang som i dag af den fyrstelige familie, en række aristokratiske familier, købmandsstanden og så det almindelige folk.

Og det er på den måde, at Bellini ønsker, at marmor bliver til kød, og det in-animerede til liv. Der er for så vidt tale om en *renvoi* i forhold til visse udvik-lingsmuligheder indenfor det europæiske maleri snart ,med hensyn til brugen af relief, i brugen af materialer, i brugen af fladerne i landskabsmaleriet –

også dette er indeholdt i dette ganske opfindsomme album: *Hellig Allegori.*

Det var pavanere, der oprindeligt grundlagde Venedig og forenede *gli lagunari*, som til gengæld indlemmede Padoua i 1400-tallet, efter at have erklæret sig uafhængig af Byzans. Nu står man så i den omvendte situation, at Byzans er faldet og at de privilegier, venezianerne nød i Konstantinopel, er under gen-forhandling med Osmanli. Kristelige fyrster er samtidigt nødt til at tænke nyt, og se sig om efter alliance-partnere på den ellers notorisk splittede italienske halvø. Medicierne var afhængig af spanierne for at drive forretninger, mens Osmali allierede sig med grækere, armeniere og jøder for bedre at kunne kon-kurrere med Venedig. Modsat handlede Venezianerne på Indien, og var afhæn-gig af stabilitet langs handelsvejene. Det kan have udøvet indflydelse på fremstillingen i maleriet, sammenholdt med behovet for at fremme politiske reformer og opbløde gamle fjendebilleder. Måske er der ligefrem tale om en ikonostase i landskabsmalerisk form, fortolket som en kærlighedsromance, om uforløst kærlighed og kærlighedens triumf. Forlægget herfor findes i Alberti's *Hypnerotomachia Poliphili* (1467). Det er det konstante ved universet.

Sammenstillingen af kvindelig frugtbarhed og heroiske værdier er selvfølgelig lige så gammel, som Gilgamesh' epos, som *Hellig Allegori* kunne synes at være podet på – her er atter et kulturlag tilføjet. Det er sammenstillingen af kvinde-lig emancipation og foreningens fortrædeligheder på den ene side, og på den anden side Jobs fortælling og ophavet til

Renæssancen, i en ikonostase i malerisk form, som er innovativt i maleriet. Samarbejdet med svogeren Mantegna samspillet, og de nederlandske malere - Antonello og Brueghel – modspillet.

Paradislængslen kan måske lette vor forståelse af, hvordan Renæssancen blev til. Når det kommer til det europæiske maleris videreudvikling er denne afhæn-gig dels af gennembruddet af Renæssancens valgsprog dels af beskuerens varetagelse af maleriets fortælling og tips, som Professor Bellini har gemt i værket.

Det er et dejligt og virkningsfuldt og helt igennem gennemarbejdet om end noget professoralt maleri. I Venedig er naturen og kunsten tæt knyttet sammen, og byen udgjorde et selvstændigt bycenter, som dannede bro mellem øst og vest og dermed berigede kunsten med en detaljerede beskrivelse og naturalistisk iagttagelse. I Venedig værdsatte man samtidig god penselføring, et belevent farvesprog og raffineret brug af maleriets virkemidler. I maleriet er dette forenet med en fin sans for komposition, brug af perspektiv og rumlig illusion samt opfindsom historiefortælling forenet i maleriet med en gotisk sans for allegori.

Kan Rom da blive født påny med en enkelt fisk i vandet og rovfugle i luften samt med hunde, hvis gøen i skoven blot er et ekko fra en svunden tid ?

Fortolkning

Giambellinis hensigt med *Hellig Allegori* er at sakralisere ny tid med udgangs-punkt i en kunstnerisk og politisk alliance mellem Firenze og Venedig, støttet af Den Romerske Kirke, i hvis have Bellini har plantet et træ. Måske udtrykker maleriet ligefrem en tidlig længsel efter foreningen af Italien – *Risorgimento*.

Dette er oprindeligt søgt udtrykt dobbelttydigt dels i form af en ekstase og der-med sjælens rejse til borgen dels metafysisk ved overgangen til en ny og anden måde at være på. Adgangen til denne kosmiske liturgi og dermed til en kristendom i pagt med naturen er ved hjælp af beskuerens varetagelse af ma-leriets fortælling.

Bellini er bestemt ikke fremmede for at fortælle historie og har erfaringer med kompositioner, hvor dramatiske *close-ups* indgår. Mantegna er Renæssancens anden store landskabsmaler, og hans svigerfar og Bellinis svoger – Jacopo - grundlægger Venedigs malerskole. Overgangen fra Byzantinsk kirkemaleri til Venedig-skolen er her meget tydelig. Og det samme er Bellinis fine sans for farver, lys og atmosfære. For Renæssancen var ikke bleg for at sætte ægte farver, hvor Byzans ønskede bladguld, lys hvor andre ønskede sig mørke, og at placere maleriet over arkitekturen altsammen rekonstitueret og dertil under-ordnet et liniært perspektiv, så at 'materialet blev bragt under et strukturelt system, hvor det optiske har forrang over det taktile', og et skyggespil mellem navnligt figurerne og de kompositoriske og rumlige virkemidler udfolder sig, som om det gjaldt om at fastholde og videreudvikle Middelhavet som en fælles kulturel og økonomisk enhed. I praksis skulle Venedigs skæbne stå og falde med magtforholdet mellem Spanien og Osmanli. Nu hvor venezianernes rolle i Konstantinopel var ved at være forbi, havde Venedig samtidigt et ekstra incita-ment til at dobbeltsikre sig på den italiske halvø, og dermed sikkerstille han-delslinierne østover. Fyrst Sforza's barn med Cecillie Gallerani taler vi ikke om.

Hellig Allegori har været ejet af d'Este-familien, af Batolomeo della Nave, mens Contarini også købte Giorgiones *De tre Filosoffer* (1508). Giorgione var elev på Venedigs kunstskole. I dette maleri sidder der yderst til højre en arabisk astro-nom. I midten en jødisk intellektuel. Om jødiske intellektuelle ved vi, at de på afgørende vis bidrog til frigørelsen fra Middelalderens feudale samfunds-struk-turer og voldelige internationale relationer med dens forestillinger om republi-kansk eksklusivisme og fællesskab. Renæssance-mennesket sidder med ryg-gen mod horisonten, hvor en spansk by anes med blikket rettet mod en grotte. Dette maleri kan tolkes som en noget forenklet, lidt drillende pendant til *Hellig Allegori* – også i Renæssancen var et parløb ønskværdigt.

Forholdet mellem kunst og natur spillede en vis rolle i kunst-teorien i Renæ-ssancen - teoretisk som praktisk. Naturen var inspirationskilden, men det forudsattes samtidigt, at kunstneren i sine afbilledninger og valg af materialer var i stand til at repræsentere denne, og gøre dette gennem brug af sanserne, uaf-hængigt af sin sjæl i et univers som spejle, vinduer og telescoper kunne være med til at sætte i perspektiv.

Bellini lavede en del altarudsmykninger i Venedig, herunder i Sankt Job's kirke, hvor netop Sebastian og Job indgår. Dengang handlede det om transfiguratio-nen gennem troen. I *Hellig Allegori* er der snarere tale om en allegorisk fortolkning af Jobs fortælling, associeret med kvindelig emancipation og lærer-gerningen, en sammenstilling som vel har en dobbelt funktion: at vække til barmhjertighed og opfordre til at angre.

Venedig fungerede på dette tidspunkt som et krigerisk oligarki, langt fra det kompromis mellem beundringen for osmanner-rigets styreform, paladser, harmoni og sans for proportioner forenet med arabisk sans for sækulariserende og en folkeligt legitimeret styreform, idet Bellini lader forstå at Renæssancens valg-sprog er undfanget som en modvægt til det interne oligarkiske hoveri i Venedig og med sigte om at genindsætte fyrstemagten. Skyggespillet opfylder i den forstand sin funktion som historiefortælling, som social kritik og som for-midler af filosofiske, æstetetiske og moralske værdier i både optisk og litterær forstand.

Samspillet mellem Italiens bystater – Veneto, Toskana og Lombardiet – var med andre ord forudsætning for foreningen af Italien, og den bedre måde at gøre dette plausibelt for beskueren var ved at iklæde dette som en fortælling om kvindelig emancipation og lærergerningens trængsler og malerkunstens udvikling. Og vi forstår pludselig, hvorfor maleriet var tiltænkt fremvisning i privathjem, alene.

67

Mødet mellem de tre civilisationer og sammenstillingen i maleriet skaber samtidigt en ny opdeling mellem højre og venstre. Til højre er de gode, til venstre de onde, som imidlertid også indeholder noget godt. Bellini var tilsvarende bekymret for sine elever. De skulle indordne sig og fastholde deres integritet for at blive til noget. Det var sandelig et nyt menneske, de skulle forfølge. I stedet gav Tizian og Giorgione, Tintoretto og Lotto, Cimabue Venedig-skolen herefter det ry, det har i dag, som en uafhængig, farverig og glødende malerskole.

Motivet er måske ligefrem mere prestigefyldt. Oprindelsen til forestillingen om forsoning mellem kirke, palads og kunst er undfanget indenfor den arabiske civilisation i en tilsvarende krisetid, hvor en *Othering* fandt sted, som foranled-igede muslimerne til at forstå religion og åbenbaring som gensidigt foreneligt, mens Bellini nyfortolker denne forbindelse indenfor en malerisk ramme i en ny og mere individualistisk tidsalder, allegorisk fortolket i maleriet ved hjælp af en sammenstilling af Jobs Bog og en harmonisk pagt mellem kønnenes forskellighed og hverandres faldgruber under kirkens beskyttelse, der er placeret *udenfor* balustraden i maleriet. Man ønskede med andre ord at bevare kirken, men at ændre dens rolle. Måske skulle Pavestaten helt nedlægges - bruddet mellem Venedig og Rom fandt sted i begyndelsen af 1600-tallet.

Da blev den horisont, som Renæssancen åbner: *Styrke, Klogskab, Retfærdig-hed og Selv-Beherskelse i en ånd af Tro, Håb og Kærlighed.* Det er selvfølgelig overmåde interessant, dersom Renæssancens valgsprog ligefrem er opfundet i

Venedig, snarere end i Firenze og af Alberti (1440-1467) samt at der er tale om en videreudvikling af arabiske trakter, forfattet næsten 400 år tidligere end maleriet blev malet – som et modstykke til Mantegnas åbenbaringer i post-apokalypsens tegn – og med afsæt i både prøvelser og vidnesbyrd en Kagagöz & Hacivat værdig, som om det gjaldt om at tilfredsstille et ønske om at bevæ-ge i sanselig og odiøs henseende.

Men er det overhovedet muligt at undslippe det ubevidste ved at beherske sig selv ? Hvordan forene og forny brugen af relief, materialer og flader med stil-lingtagen til skildringen af luftigheder, lys-former samt farveperspektiv i det europæiske maleri ? Og hvem er den bedste til at forene Italien og til at lede Venedig ? Og repræsenterer de enkelte figurer i virkeligheden de syv dyder *undervejs* ?

Pointen er, at interaktionen mellem verdslige processer og det europæiske maleris historie, sammenholdt med tingenes immanens, tilbøjeligheder og per-spektivets virkninger gør det muligt at forstå maleriet *Hellige Allegori* i sin ful-de sammenhæng. En allegori på kvindelig emancipation og lærergeringen på den ene side, og på den anden side national enhed og maler-elevernes individuation og videreudvikling af traditionen bliver hermed draget. Bellini skaber på den vis en dobbelt sandhed mellem de intellektuelles deltagelse i samfundet og kvindens rolle heri på den ene side, og på den anden side et forsøg på at forene en rationel orden med religiøs deltagelse og kunstnerisk autonomi i et integreret hele. Måske er der ligefrem tale om en psykologisk indføring i den metafysiske struktur af Renæssancens værdisæt, og på den anden side en forklaring på, hvad der forlanges moralsk og fysisk af eleverne for at videreudvikle det europæiske maleri. Sådan kan man have forskellige opfattelser af, hvad kunst er. I Renæssancen var den forankret i et værdisæt – ej et påskud for ikke at søge privat lykke. Kan hænde, at ingen da skal stille sig til doms over, hvordan Italien skal forenes, og over en kvinde før hun er blevet moder, endsige over en mand før han har skabt nyt. Der er samtidigt tale om et klart litterært islæt i dannelsen af de kosmogoniske tråde i Renæssancen, men det er kun ved at fortolke maleriet tekstbogmæssigt og opsøge de litterære kilder, at vi kan forlene det stumme maleri med mæle.

Bellinis maleriske *psycho-hypnerotomachia* modsvarer i sin helhed en billedlig fortælling på Renæssance-valgsprogets ophav i andalusisk *falsafah* og lige så en kunstnerisk fortolkning af Renæssance-statens politiske projekt på den ene side, og på den anden side en repræsentation af indholdet i den rette tro, og den handling der skal til for at blive en god landskabsmaler, som folket kan sætte sin lid til. De bevidsthedslag og følelser, som Renæssancens fødsel reflekterer er her skildret allegorisk som en ikonostase i malerisk form, som om der er tale om en kærlighedsromance om uforløst kærlighed og kærlighedens triumf. Det fysiske og metafysiske lever med andre ord i fredelig sameksistens i Renæssance-mennesket. *Hellig Allegori* er vel et af hovedværk, og hovedværket er mennesket. Dette er det primære.

Videnskabelig teori sætter samtidigt grænser, mens kunstnerisk teori og virke inviterer til at krydse grænser. Det narrative motiv i *Hellig Allegori* er med andre ord fornyelsen, og at Bellini som en af Renæssancens fædre var vidne hertil. Disse er kun til dels gengivet naturalistisk, som om beskuerens varetagelse af billedfortællingen som grundlaget for sin fortolkning af maleriet finder sted hinsides tid og sted, dvs. kan finde sted til alle tider og på alle steder. Bellini ønsker med andre ord at fastholde og udvikle Renæssancen med male-riet *Hellig Allegori.* Kunsten bliver dermed symbolet på den nye pagt. Det er det sekundære.

Spørgsmålet om, hvad Renæssancen foretager sig med kunstteorien, og hvordan maleriet bedst udvikler sig, hvordan valget af materialer indgår heri og de prøvelser, det indebærer, er alt sammen integreret i den fremadskridende fortælling. Heri ligger der med andre ord en invitation til eleverne om at overgå deres lærer eller i det mindste en opfordring til opdragsgiveren om at støtte kunsten og Renæssancens værdisæt. Bellinis bidrag består navnligt i afstemningen af figursætningen i kompositionen med integrationen af historie-fortællingen i et samlet harmonisk vision og velproportioneret rum. Det er det tertiære.

Bellinis ikke alt for originale mellemløsning er velsagtens da hverken at pege på den bogstavelige skildring i forgrunden eller en asocial version af den type af hermit-vælde i mellemgrunden, som han beskylder Byzans for at forsvare, men i stedet indenfor en kromatisk enhed at indrullere magtens ideologi i dets egen sags tjeneste: forsvaret af kunsten.

Udsmykningsopgaver skulle det herefter ikke skorte på i lagunen, hvor spørgs-mål om teori og praksis, design og teknologi, utopi og realitet bliver rejst på ny som en fusionskunst mellem osmannisk og veneziansk kunst. Det forklarer bare ikke, hvorfor Renæssancens projekt mislykkedes, endsige hvorfor det skulle tage så lang tid at forene Italien, omend nok Italiens hegemoni indenfor kunstverden.

Hvad skal malerens rolle i samfundet da være ?

Hvad er et godt maleri ?

Og hvordan skal vi forstå maleriets udvikling ?

© **Christian ILCUS, The European Painting – An Introduction**

DÜRER

Markhare, 25x22, Albertina-Wien(1503)

Albert Dürer bidrog med stramme klassiske former i et forsøg på dels at gøre det usynlige synligt dels at bevare det forgængelige for eftertiden. *Mark- Hare* (1503) forholder sig til, hvordan repræsentationen af det partikulære i forestillingsevnen bliver <u>universel i intellektet</u>. Det vil sige, Dürer bidrog navnligt med hvordan koordinerede forvandlinger kunne forvrænge og udvide de naturlige proportioner indenfor rektangler. Man fornemmer, hvordan Albert Dürer har indfanget Haren og skildret den naturtro med dens pels ned i mindste detalje fra synsvinklen let foroven.

Maleriet er skabt gennem brug af gouache, dvs en blanding af kropsfarver og vandfarfver. Bemærk hvordan pelsen stritter i forskellig retning og gengivelse af skyggem. Der fremstår gennem lyset fra venstre side. Dette fremhæver ørerne, belyser pelsen i venstre side og forlener ørerne med livagtighed.

Det har været diskuteret, hvorvidt Dürer har malet Markharen levende eller dø. De fleste hælder til, at optegnelsen er sket in vivo og formentlig tillige med en udstoppet hare. Sikkert og vist er det, at han anvender geometrisk skema til at optegne Markharen for os.

2.

Albert Dürer (1471-1528) stod i lære hos sin fader som guldsmed, men maleriet og grafiske arbejder trak mere i den unge nürnbergenseren, end dette prestigefyldte håndværk og i 1486-1490 begyndte maleren Michael Wohlgemut at undervise Albert Dürer.Dürer foretog sidenhen adskillige kunstrejser til Italien, herunder Venedig hvor Bellini anerkendte hans dygtighed, og sidenhen rundtomkring i Europa. Dürer var en internationalist i tysk sammenhæng og var med til at introducere italiensk kunst og italienske koncepter til tysk kunst. Han bidrog til gengæld som brobygger mellem Italien og Nederlandene.

Andre betydende værker fra hans hånd er Adam og Eva i Prado-museet. Dürers portræt af sin fader fra 1490 regnes for det første tyske Renæssance-portræt, malet ved afslutningen af sin læretid , ti år tidligere end det kendte selvportræt, som er anført i den indledende vignet til dette kapitel. Hans portrætter af Maximillian d. I, af Luther Elsebeth Tucher. Hieronymus Træsnitter fortjener alle omtale som fine værker fra Dürers hånd.

I forhold til andre betydende tyske malere udmærkede Dürer sig med stramme klassiske former, mens Altdorfer bidrog med romantisk natursind og grünwald med en mystisk realisme. Cranach lagde i sine personskildringer vægten på pseudo-sakral gengivelse i jagten på sandheden i afbildningen af fornemme familier. Holbein, den store portrætist, udviste til gengæld en skarp observationsevne og køligt indblik i sine personskildringer (Kilde: Dürer, Cranach Holbein. Die Entdeckung des Menschen: Das deutsche Porträt um 1500).

DA VINCI

Den Sidste Nadver, Santa Maria delle Grazie, 460x880, Milano (1498)

Den Sidste Nadver eller *Cenacoli* var et yndet emne i Renæssancen. Leonardo da Vincis version hænger i spisesalen i Dominikaner-klosteret Santa Maria delle Grazie.

I Apostelenes Gerninger hedder det: Men når Helligånden kommer over jer, skal I få kraft; og I skal være minde vidner både i Jerusalem og i hele Judæa og Samaria, ja indtil jordens ende"" Påsken nærmer sig, og apostelene spørger Jesus , hvor de skal afholde Pesach-måltidet. I henhold til Mæt-thæus-evangeliet anviser Jesus dem at finde en vis mand i Jerusalem og fortælle ham: "Herren siger. Min tid er snart til ende". Han går rundt med vanddunk og disciplene følger ham ind i et hus, hvor de fortæller husets herre: Herren siger: Hvor er min spisesal hvor jeg kan spise peseach-måltidet med mine disciple ? Og han vil anvise dem en stort velforsynet spiesal. Det er her Den sidste Nadver skulle finde sted.

Maleriet skal på harmonisk vis indfange stemningen under måltidet, hvor disciplene bliver varskoet om at menneskesønnen skal dø om to dage idet han vil blive forrådt af en af sine disciple, og samtidigt skildre skønheden og det guddommelige mysterium ved hans snarlige offer. Maleriet er ikke mindst kendt for sin karakterskildring og følelsesfulde indsigt i figurationen.

Maleriet er bygget op omkring en rektangulær boks med et perspektivisk boks, der samler sig i Jesus, der ses i midten. Til højre for Jesus sidder inderst John, Peter, Judas, Andreas, James og Batholomæus yderst til venstre. Og til venstre for Jesus (vor højre) ser man afbilledet følgende apostle fra inderst til yderst: Thomas, James, Philip, Matthæus, Thaddæus samt Simon yderst til højre.

Det store maleri er udfærdiget angiveligt som led i et større byggeprogram omfattende et Mausolæum, til Ludvidico Sforza og hans kone Beatrice D'Este, der var tegnet af Bramante og som det var meningen skulle være placeret i klosterkirkens apsis, således at munkene kunne våge over fyr-steparrets sjæle. Spisesalen er tilsvarende ny, og udsmykningen bestilt hertil. Foroven for maleriet er der malet tre våbenskjolde: Det lombardiske Fyrstehus', Sforzaerne og D'Estes.

Til brug for kompositionen er der valgt en perspektivisk ramme, der på den ene side forlænger spisesalen i et landskab, og på den anden side gør Jesus hoved til maleriets centrum og for-svindningspunkt. For beskueren, der træder ind i rummet, er det imidlertid som om perspektivet virket virker ud fra en forhøjet position ift hvad der er tilfældet i maleriet, hvilket er med til at fremhæve den andensverdslige dimension af fortællingen i munkenes spisesal. Apostlene er tilsvarende arrangeret i henhold til geometriske tre-dimensionelle principper – der er anvendt en dodecahedron – der sikrer at scenen gengiver harmoni samtidigt med at den indgyder en andenverdslig virkelighed. Der er vinduer bag spisebordet og døre mellem de forskellige væverier på væggen. Jesus ses med ustrakt venstre håndflade, mens højre hånd delvist hviler på bordet. Judas er placeret som nummer tre til højre fra Jesus , og er ved at gribe ud efter et stykke brød, litmustesten på hvem forræderen i disciplines midte var (Kilde: Luke Syson & Larry Keith Leonardo da Vinci – Painter at the Court of Milan, 2012).

Dette skal sammenholdes med talen om Jesus som livets brød indeholdt i Johannes-evangeliet: " Jeg er det levende brød, som er kommet ned fra Himmelen; om nogen spiser af det brød, han skal leve til evig tid. Og det brød, jeg vil give, er mit kød, til liv for verden......Den, som spiser mit kød og drikker mit blod, han bliver i mig, og jeg i ham (Johs, 6:51-56). Denne tale om Eucharistien vakte stor undren blandt disciplene, og fandt tidligere sted end Den Sidste Nadver, men er talen som Jesus refererer til som et uhelligt modstykke, idet han siger direkte til kassereren Judas: "Det som du skal gøre, gør det hurtigt". Forvirring hersker påny. Det er formentligt dette øjeblik af forvirring og undren over Jesu tale, som er indfanget i maleriet. Judas skulle siden forsvinde i natten og komme tilbage med soldater, repræsentanter fra højestepræsterne samt farisæere bevæbnet med "lanterner, stavlygter og våben" (Kilde: Ross King Leonardo and The Last Supper, 2012).

Da Vinci brugte megen tid på at forstå dynamikken i Interaktionen mellem figurerne, viser diverse forstudier til Den Sidste Nadver. Udfordringen gik ud på udforme et narrativ i et arkitektonisk rum, dvs hvordan man bedst kunne orkestrere en animeret gruppe rundt om et bord under arkaderne, udsmykket med våbenskjold. Alle læner de sig ind over hinanden med undtagelse af Jesus, der er skildret enkeltstående, idet han rækker ud efter vin og brød. Disse overlap af spædninger og kontraster er forenet med en inddeling af disciplene i fire grupper af tre. Yderst til venstre set fra Jesus sidder Simon ved bordenden og ser bekymret ud, men ikke rystet, Thaddæus ser overrasket ud, mens Matthæus med udstrakt arm kommunikerer:
Kan det være rigtigt ? Yderst til højre fra Jesus er Batholomæus
ved at rejse sig fra bordenden af bordet for at høre nærmere, James den Yngre rækker tilsvarende hånden over mod Peter for

at spørge: Er det mon muligt ?, mens Andreas med begge håndflader udadvendt undrer sig, ja vel nærmest værger sig. Peter rækker bag om ryggen en knid med venstre samtidigt med at han rækker ud mod Johannes for at hviske ham noget i øret . Inderst ser Johannes snart eftertænksom snart genert ud, mens man ser Judas række ud mod brødet og en tallerken med bortvendt udstrakt hals, skildret skyggefuldt. Inderst til venstre fra Jesus er det James den Ældre, Judas' bror, som ser skrækslagen ud, altimens han holder højre arm ud for at klappe Jesus på ryggen. Thomas rækker pegefingeren i vejret for at belære eller give en lærestreg, mens Philips gestik mon sprøger:
Jamen er det mig , Jesus ?

Da det i begyndelsen af 1900-talllet gik op for den videnskabelige verden, hvilken farveteknik der var anvendt af da Vinci, blev det klart, at blå var gennemgående farve i disciplene og Jesus, dog således at Jesus er den eneste der samtidigt er malet med en rød-orange-dragt. Der indgår grøn, peach, hvid og brun i de øvrige apostlenes tøj. Sandalerne er tilsvarende oprindeligt skildret med stor præcision farvemæssigt. Langbordets dug er holdt i hvid som for at fremhæve Jesu renhed og følelsesmæssige oprigtighed.

Der er anvendt luftperspektiv i maleriets baggrund for at forlænge landskabet. Det sker gennem farverne blå og grå.

Lysmæssigt interesserede Leonardo da Vinci sig meget for, hvordan lys går i spænd med optiske virkninger, nærmere bestemt lys og skyggevirkninger og hvorledes refleksion og refraktion af lys kan tjene til at illuminere en figurs fremtræden. Netop brugen af lys og mørke til at forlene et maleri eller en figur med dybde var en af Leonardos forcer. Dette bliver forenet i maleriet med indsigt og forståelse af, hvordan en skygges enhed bevæger sig over og tilslører forskellige farveområder i samspil med refraktion af lys og anvendelse af chiaro-scuro-effekter. Skildringen af farve og lys nuancer er et centralt illusionistisk clou i Den Sidste Nadver, hvor figurerne ikke blot kaster skygger på hinanden, men lys' dynamiske virkninger i optisk henseende ligefrem er søgt integreret i skild-ringen af rummet og dets atmosfære hinsides en elementær eller objektiv formlære. Denne interesse for lys er med til at forlene Den sidste Nadver med en særlig luminositet . Netop proportioneringen og placeringen af figurerne nødvendiggør tilsvarende skildringen af, hvordan lyskilden arbejder mellem figurene og hvordan de afledte skyggevirkninger er kort eller lang som en funktion af afstanden fra lyskilden i maleriet. Figurationens arrangement bliver i den forstand en fortolkning af bevægelsen af lyset i maleriet (Kilde: Nicole Bitler, Leonardo da Vinci's study of light and optics: A synthesis of fields in *The Last Supper*). Denne fortolkning omfatter velsagtens tillige skildringen af bordet og dets glæder.

Da Vinci beherskede dengang ikke eller gjorde ikke brug af Fresco-teknikken, som krævede en hurtig påmaling, som ikke kunne ændres. Han anvendte i stedet en eksperimentel malerteknik, hvor han anvendte maling på den tørre oppudset gipsvæg i form af tykt lag af ægge temperafarve ovenpå kalkgrunder bundet i lim forenet med stedvis brug af et ekstra tyndt lag af oliemaling. Dette tillod ham at foretage hyppige ændringer og skabe subtile lyseffekter og de modelleringer, han efter-stræbte samt at arbejde når det passede ham, Det betød samtidigt, at maleriet allerede begyndte at skalle tyve år efter at det var færdigt i 1498.

KAPITEL 2

BAROKKEN

Barok-stilen strækker sig fra 1600 til 1715. Den har tre centre: Italien, Holland og Spanien. Som kunstretning nyd barokken indledningsvis godt af det fortsatte hegemoni, som Italien nyd i kunst-verden, af pavestatens genvundne magt samt af de franske solkongers ønske om at markere sin pragt i kunstnerisk dragt. Det barokke maleri er dramatisk og dynamisk, og indvarsler en styrket interesse for det *talende sprog* i malerierne. Lys og Skygge, Farve og Følelser, Skuespil, var nu

accepterede udtryksformer, overlap accepterede maleriske virkemidler. Alle indgår de i en legesyg vekselvirkning med skildringen af virkeligheden og dets muligheder, af viden og tvivlen om viden nu også blot er illusion. Grandios var barokken- den indvarslede en mere følelsesladet tilgang til det europæiske maleri. Maleriet blev som en usleben perle. En større variation blev nu introduceret i maleriet. Formeligt var den barokke tidsalder befolket med ridder og konger, nar og klovn, idet detaljerigdom og dynamisk bevægelse i maleriet afløste Renæssancens ro og orden i en verden, hvor Modreformationen og Spaniens voksende magt optog sindene, mens Frankrig og England endnu lå i religionskrig.

Verden åbnede sig, velstanden øgedes i samfundene, staterne begyndte at konkurrere med hinanden. Leopold Wilhelm II til gengæld anskaffede sig briternes kunst-samling for en slik – her gengivet i David Tegners kabinetsmaleri under en inspektion i London, hvor allerede det Hellig-Romerske Rige ordnede sine kunstforretninger. Denne samling udgør nu grund-stammen i *KHM*'s kunstsamlinger, altimens man efterhånden opdagede fordelene ved magtdeling mellem tronen og landets politiske eliter - i England.

I tredive år stredes man om religion i Europa, og om hvordan de regerende bedst kunne legitimere og indordne religionen under det fælles formål. Religiøs intolerance var dog ingenlunde det eneste spørgsmål, som optog sindene dengang. Det gjorde også forholdet mellem det hellig-romerske rige, valgbarhedsregler og prinser, de frie byer og de andre politiske enheder i imperiet, omfanget af og udformningen af Sveriges

Østersø-imperium samt en mindre schweizisk families ambitioner, Habs-burgerne, der nu styrede territorier og institutioner fra Wien, takket være en symbiose mellem renæssancen og reformationen. Habsburgerne indgik efterhånden i en dynastisk alliance med Spa-nien, mens Wien indeholdt tronsædet for det Hellig-Romerske Rige. Det betød, at den ledende tyske magt var østgermansk. Familien kunne dermed regere i Europa med udgangspunkt i imperial uni-versel ideologi, katolsk kosmopolitanisme og Spaniens koloniale besiddelser. Det var først i **1648** ved freden i Münster, skildret af Ter Boschs sarte skildringer, at tredive års-krigen blev bragt til af-slutning, og en fredsorden indstiftet, som balancerede de respektive aktørers interesser, Sverige og Frankrigs ambitioner med Habsburgernes, det universelle monarki med national suveærnitet, at en form for stabilitet vendte tilbage til Europa – og kimen lagt til ny konflikt.Og dog så opnåede man enighed om nogle normer, som kunne regulere tro- og samvittigheds-spørgsmål, opdragelse og bor-gernes civile status, så at det religiøse vanvid undlod at gribe ind i stormagts-politikken, uden dog nærmere at regulere de spørgsmål der ellers gav anledning til konflikt – prinsernes opførsel. Habsburgernes alliance med Spanien blev samtidigt brudt og lige så det Hellig-Romerske Riges monopol på at føre selvstændig udenrigspolitik. I praksis sikrede Kardinal Richelieu dermed Frankrig adgang til Tyskland og Italien, mens aktører og interesser ville sørge for, at et nyt sæt af konfliktemner kunne anvendes som påskud for konflikt, hvis ikke omfattende krig, i årene fremover af de trætte-kære europæere (Kilde: Kalevi Holsti *Peace & War: Armed Conflicts and International Order 1648-1989*).

Religionskrigene i England og Frankrig gav Hollænderne nye muligheder og fik malerkunsten til at blomstre påny i Nederlandene, engang man hav-de frigjort sig fra Spansk Habsburg i perioden 1589-1609, hvor parterne underskrev en våbenhvile, *som om Holland var en suveræn nation* og uden forpligtelse til at anerkende anden religion end calvinismen som statsreligion – ej heller skulle Hollænderne levere og kæmpe side om side med Spansk Habsburg. Til gengæld forblev de sydlige Nederlande – Flandern-Bruxelles-Wallonien under Spansk overhøjhed. Nederlandene omfattede da et løst forbund af bystater, organiseret som en konføderation. Med Spanien opnåede barok-stilen en universel udbredelse, altimens italienske mestre fyldte paladser og kirker med genopfindelsen af freskoen, som kom til at danne skole for resten af Europa (Kilde: Röttgens: *Italian Frescoes: The Baroque Style*). Disse udsmykningsopgaver er ofte undfanget som en kosmologisk enhed omfattende himmelhvælv og sidegemakker, designet lige vel til folkets indførsel i troen som moralsk lærdom – og hvad med maleriet kunne det fortsat udvikle sig ?

Den tvetydige rolle, som Frankrig indtog og den forkælelse, som deres politiske hegemoni i Europa nu udtrykte, forudsatte måske ligefrem et nyt bland-ningsfolk og helt sikkert en vis ligevægt mellem Eu-ropas forskellige politiske regimer. Denne pointe vidste Poussin at illustrere med *Sabinernes voldtægt* (1635) ved hjælp af virtuose figurer i diverse pose-ringer og skaleringer, så at hans opfindelser, und-fanget som en visuel diskontinuitet, fremstod som sekventeringer uden indre glød. <u>Nicolas Poussins</u> synspunkter på maleriet som mentalitets-historie var da langt fra enestående, og knyttet til en mere kølig og intellektuel tilgang til maleriet og en detaljeret tilgang til opbygningen af maleriet. Denne tendens blev snart modvejet af en ny interesse i kompositio-nens virkninger og i studiet af lys– en retning som <u>Claude Lorrain</u> anførte.

De klassiske idealer var dermed i færd med at blive ført igennem en sigte af balance og harmoniske proportioner, og uhildede dekor: Man fór fra væren til vorden. Hvor

Renæssancen var liniært og ført ved hånden er barokken malerisk fulgt af øjet, hvor objekterne før var placeret for at blive følt, bliver de nu placeret i dybden, så at de kan blive fulgt, dér hvor der var koordination mellem ligeværdige er delene nu underordnede en helhed, hvor formen før var lukket for at lukke beskueren ude, er den nu åben for at hold ham inde, og når alt var klart i renæssancen er synsvinklen nu noget mere begrænset.

Carravaggo indvier Barokken med Matthæus-trioen i San Luigi dei Francesi-kirken i Rom ved at introducere en ny naturalisme i det europæiske maleri i kombination med en overlegen brug af chiato-scuro, hvormed han frik maleriet til at fremstå som et *gennembrudt mørke*. Caravaggios distinkte teatralske og livagtige kompositioner har samtidigt sin resonans i kirkens behov for at fremhæve sin appel til folks dybere-liggende spirituelle behov og kirkefadernes modvilje mod forandring. Motiverne i hans malerier: (1) Menneskelige sindstilstande (2) Det fysiske (3) Følelses-betonede udtryk. Caravaggio ses bagerst i maleriet til venstre stirre ud mod beskueren, mens hans hånd kaster skygge over sceneriet midt for.

Havenes stigende grad af frihed tillod samtidigt hollænderne at finde nye verdener og opnå stor vel-stand, mens de ledende

købmænd, hjemstavnen og dets folk, dets værdier og dets lys leverede fort-sat inspiration til maleriets fortællinger og skildringer. Dermed kom kvinder og afbilledningen af interiører og hverdagsscener også til at spille en mere fremtrædende rolle i det europæiske maleri. Sidstnævnte blev ofte identificeret med patriotisme og det, som vi i dag kalder god regeringsførsel – i Holland. Heri lå samtidig kimen til en større respekt for og værdsættelse af kvinden og hendes rolle i samfundet som selvstændigt væsen med analytisk sans og finesse (kilde: Marjorie E. *Wiese-man Vermeer's Women – Secrets and Silence*). Hollænderne var demokratiske og udrustet med et stadigt mere velhavende borgerskab, hvoraf mange sværgede til calvinismen, som fremmede nøj-somhed og arbejdsomhed samtidig med at den modsatte sig afbilledeninger af religiøse motiver som afledning fra det væsentlige i menneskets liv: Gudsforholdet. Dette kontemplative aspekt og orientering mod det hinsides indoptages efterhånden i det hollandske maleri, hvor personskildringen lader forstå, at personerne også har et rigt indre liv. I Nederlandene skændtes man også indenfor statskirken – Calvinismen –om præ-destinationslæren – et påskud for at den pietistiske og calvinis-tiske strømning kunne sikre både sækulære og religiøse kilder til evige sandheder om det gode liv, det skønne i tilværelsen og et muntert liv dennessides, sammenlignelig med en anelse om at natio-nalstaten og den nederlandske statsmodel – konføderationen - var forudbestemt til at tilvejebringe betingelserne for antagelsen af kapitalismen som et af flere mulige måder at pacificere samfundene på i en daglig magtpraksis, der er subtil, men ikke uden horisont.

Få overgår Vermeer i rum- og lysvirkninger i barokken. I *Allegori på Troen* (1672) ser vi en troende kvinde skildret i et interiør indenfor et kristent billedeunivers, hvor hendes selvstændighed, værdighed, lidenskab og forskellighed fra mænd er afbilledet – i dæmpet dagslys. Hun er den livgi-vende moder, som former og giver liv, et levende væsen, som sidder ved et privat kapel – *schuild-kerk* – foran et maleri af Kristi korsfæstelse. Hun, hjemmets frue, har modet til at fort-sætte i sit liv, hvad frelseren har begyndt. Skønt han, symbol på det almenmenneskelige, ikke kan være en del af det, som han har begyndt, forbliver hans ord og kraften i hans person-lighed ved med at virke i verden. Denne dobbeltbevægelse sigter antageligt på Maria Magdalenes omvendelse, og på hendes status som kvinde. Korset er endelig symbol på det ugudelige og umen-neskelige, og hvordan man kan undgå eller gøre Korset overflødigt i fremtiden, udgør en del af Kristendommens lære og håb. Kvindens ene fod hviler på en rund marmorglobus, der korrespon-derer med en glaspendel i loftet, der hænger i et bånd i samme farve, som kvindens silkebrokade. Gralen på bordet, i guld-blads, repræsenterer Kristi blod, kvinden som uren. Den står i kontrast til det hvide i hendes dragt, uskyldens farve. Stenen på det sort-hvide gulv er en uren sten, som har splattet en slange ud, der står i forbindelse med det henfaldne æbleskrog: *Gud ved, når I spiser deraf, åbnes Jeres øjne, så at I bliver som Gudtil at kende godt fra ondt*, hedder det i Mosesbogen. Denne sammenhæng er i billedet sammenstillet med et mere sækulært komplementært univers. Gardinerne, fremstillet i fransk stil med broderier, fungerer som *repoussoir*. De hviler på en stol, hvor der ligger en pude, som står i forbindelse med bordet, hvor der er slået op i en katolsk messebog. I baggrunden ses en rumopdeler, oppolstret med broderier af uld, silke og forgyldt læder, karakteristisk for barokken. Loftet er holdt i romersk stil. I baggrunden er et kopi af et maleri af Kristi korsfæstelse af

90

Jacob Jordaens , gengivet ved hjælp af både luft- og skarphedsperspektiv og chiaro-scuro kontraster. Jordaens kom fra Harlem, hvor Spansk Habsburg foranstaltede en massakre i 1572, og hvor temaer som haveselskaber, burlesk depravation og myter indgår og sidenhen indoptages og forvandles af de mere succesrige omkringliggende bycentre, herunder Amsterdam og Delft. Denne fortidserindring indgår som et forvandlingsmotiv i den maleriske fremstilling, samenlignelig med Eukaristien over frelserens offer ved Arvesynden. Holland gav således Vermeer mulighed for at kæmpe imod Hollands fjender, mens hans kones families rigdom gjorde det muligt for ham at udøve sin kunst. Kvindens opfattede offre for sin mands karrieres skyld var da et mål i sig selv, mens forvandlingen af mandens rolle som skaffedyr tilsvarende går fra at være et mål i sig selv til at være udtryk for et bånd. Sfærens evne til at afspejle verden svarer i den forstand til sjælens evne til at tro: allegoriens mening. Vermeer malede sine malerier i fire tempi: Optegning, Under-maling, Oparbejdelse og Retouchering. Han anvender farver perspektivisk: Umber på vægen, ultramarine i kvindens tøj og okker i rumopdeleren. Og dette synes at modsvare: emalje. Og maleriet står i kontrast til Rubens' Atlantide maleri *Fredens Fyrste* (1604). For når Nederlandene er stoppet med at fortælle sin historie vil en anden skulle træde til – også et kald.

I åndsmæssig henseende betragtede man da følelser og bevæggrunde under eet. Man var bare lidenskabelige og hvad det ydre udtrykte afspejlede den indre sjæl. Francis Bacon, Descartes, Spi-noza og John Locke var alle en del af samtidens filosofiske univers, der foranledigede en fornyet interesse for mennesket og dets forskellighed, og for skildringen af menneskets lidenskaber. Videnskabeliggørelsen af observationsevnen blev videreudviklet hinsides Da Vinci's fysiognomiske iagttagelse til endnu mere nuancerede omend idealtypiske skildringer. Følelserne får dermed et fysisk udtryk, som maleren kunne skildre. Folks klæder bliver tilsvarende gengivet med stor omhyggelighed og belevenhed. Det nederlandske portræt-maleri nåede da nye højder, som Spanien ikke altid kunne følge med i: Rubens' kødelige og lyse personskildringer, Van Dycks grafisk forfinede karakterskildringer, Frans Hals' rytmiske og kraftfulde portrætter styrede da for vildt.

Oprigtighed, Ordentlighed, Generøsitet og Respekt var de værdier, der blev fremhævet i litteraturen. Man beundrede verden, som nu åbnede sig for europæerne. Det var tilladt at udtrykke sine følelser: had, begær, glæde og tristhed. Tilsvarende skulle bygningsværkerne være beundret. Politisk stod absolutismen på sit højeste. Socialt var hæren magtfuld. Konkurrencen mellem Berlin, Paris, Wien blev grundlagt i Barokken.

Naturen blev skildret med stadig større realitetssans af malere som van Goyen, Ruijsdal, de Kon-nick, van de Velde og Cuyp. Alle sænkede de horisonten for bedre at leve sig ind i naturens luner, hvormed afbilledningen af himmelen og skyerne, jorden og markerne, skov & træer, floder og søer, havet og isbelagte kanaler, dalstrøg og åbne landskaber, møller og alléer, slot & skib, kort sagt skil-dringen af den *atmosfæriske plastik* kom til at indgå med stadig større vægt i det europæiske ma-leri. Store vidder, små lærreder. Landskabsmaleriet bidrog på den vis også til videreudviklingen af interiør-maleriet, hvoraf de mest kendte udøvere nu er Vermeer, Metsu og Dou. Sidenhen skulle den tidlige modernes tids billedhuggere, tilsvarende som barokkens landskabsmalere, søge at trænge ind til tingenes essens: ved at gengive livets chok og følelsen af at leve. Tenebrister og Intimister, Naturalister og Realister, Aristokrater og Borgere formeligt befolkede formeligt barokkens farverige univers.

Lige som i Renæssancen var man i barok-tiden optaget af at sammenligne skulpturer og maleriet – *paragone* . Maleriet var man efterhånden overbevist om havde fået overtaget, fordi man i højere grad var i stand til at gengive relief , skygger og konturer på en måde, så at oplevelsen af figurativ kunst, ja den menneskelige krop blev mere afrundet i kontrast med skulpturer som man fandt havde sine styrker indenfor det plastiske område i funktion af dets dekorative og vedvarende karakter og bedre evne til at gengive mytologiske scener i byrummet. Bernini er Roms skulptør. Og så blev der komponeret musik til clavicorden, violin og klaver og kantater i barokken med en dybsindighed, som nu engang er forbeholdt musikken i Europa.

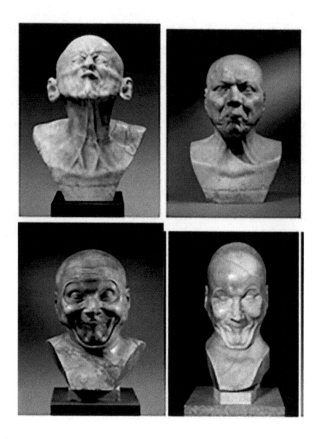

Efterhånden antog Austro-Ungarn karakter af et barok monarki. Det er takket være Habsburger-rigets særlige statsform, at barokken nyd så stor udbredelse i Centraleuropa, hvor kunsten indgik som et stabiliserende element, idet den forsonede og syntetiserede modsætninger gennem sit overraskende og forbavsende sprog, dens dyrkelse af det antikke og det obskure, altimens den udviste den samme morbide besættelse af ondskab i forskellige udklædninger, sammenlignelig med kom-binationen af et stærkt center, stort aristokrati og en fælles mentalitet. Som sådan var det barokke projekt i bedste fald ufuldstændigt, og i værste fald appellerede det til nogle overnaturlige kræfter, som erstattede en mere sober tilgang til national selv-bestemmelse og dermed til reform af det se-nere Habsburgiske dobbelt-monarki. Denne tvetydighed er fint indfanget i Messerschmidts groteske skulpturer af en mand, der skærer grimasser: En barok Seneca.

Barok-stilen begyndte formeligt at brede sig til ledende bystater fra Italien via Austro-Ungarn til det nordøstlige Europa: Antwerpen, München, Dredsen, Prag, Krakow, Lvov , og til Stockholm, hvor *Riksdagen* er opført i Barok-stil samt til Vilnius, hvor en særlig litauisk barok-stil udviklede sig. I disse områder findes der også nogle enestående barok-kirker i træ. Og Rusland opførte sandelig også bygninger i barok-stilen. Spanske og Portugisiske barokkirker vidner om en fin integration af islamiske og europæiske stil-elementer, påbegyndt i Renæssancen. Kombinationen af magt og mas-sivt byggeri var med til at forlene barokken med en gylden harmoni og en dekorativ elegance for-enet med en rigt-ornamenteret aura af teater, farve og drama ude i provinsen blandt Europas fyrste-dømmer, som bidrog til varetagelsen af en kristen humanistisk tradition i en opulent stil, som ikke siden skulle blive overgåe

Disse udsmykningsopgaver er ofte undfan-get som bygnings-
værker med himmelhvælv – her *Dianas optagelse i Olympen* –
med fire ver-dens-hjørner, hvor kvinden som husmoder, hustru
hhv. som moder er afbilledet. Himmel-hvælvet danner i den
forstand en kosmologisk enhed, der omkranser de tilstødende
rum, hvis udsmykning dels kontrasterer dels gradvist
komplementerer himmelhvælvets plot, der ses knyttet til
sjælens rejse mod solen –ratio – altimens livets hjul driver
udviklingen videre. Men var kunstens udvikling virkelig gået i
stå ?

Stillebenet opblomstrede i Barokken: Jan Davidsz Heda, De
Heem, Macofi og Cotán malede alle fremragende stillebener.
Det er indenfor pronks, at enkle viskestykker og himmelduge

indgår for første gang i det europæiske maleri i form af diagonal-konstruktioner og med nye dybdevirkninger i maleriet til følge. Gennem sin leg med den rumlige dybde og kompositionen lykkes det således barokkens stilleben-kunstnere at stille spørgsmålstegn til dydens usynlighed, dybdens udelelighed og *horror vacui* vs tomheden. Dette modsvarer et spørgsmåls-tegn ved perspektivets retorik. I praksis var der dermed taget hold på diskussionen om det liniære perspektiv blot var en maler-metode eller en af flere mulige måder at skabe en rum-mæssig dybde i maleriet snarere end en nødvendig ramme for fortællingen i maleriet og dermed varetagelsen af beskuerens illusion. Oprindelsen til opgøret med det liniære perspektiv synes således at stamme fra skildringen af hverdagsscener og overfloden i det hollandske samfund (*Kilde*: Hanneke Groetenboer The Rhetoric of Perspective: Realism and Illusionism in Sevententh-Century Dutch Stillife).

Cotán undersøgte forbindelsen mellem objekterne og måden at opnå illu-sionen af virkeligheden på gennem brug af lys og skygge – fremragende brug af optegningen af kurven i frugt-erne i hans Stillebenet *Melon, Citron & Agurk* (1604) er med til at forlene en atmosfære af både dybde og luftighed til det europæiske maleri indenfor en rektangulær konstruktion. Den-ne tråd tages op af de hollandske Stilleven-*schilders* , der snart skildrer hverdagsscener snart overfloden blandt Hollands ny-rige – såkaldte *pronks*.

I dette kapitel skal vi nærmere studere Rubens, Rembrandt, Lorrain, De Heem samt Velazquez indenfor de fem genrer Storia, Portræt, Landskab, Stilleben og Interiør.

CARAVAGGIO

Matthæus' Martyrium, 323x343, San Luigi dei Francesi-kirken, Rom (1600).

Michelangelo Merisi Caravaggio (1571-1610), chiaro-scuroens mester, er ganske enkelt barokkens mere indflydelsesrige maler. Han blev født ind i en hofsnogs familie ved hoffet i Milano, og endte som drabsmand på flugt, efter at han var flyttet til Rom. Den slags havde man ikke meget tilovers for i Rom. Her var man af den opfattelse, at manierismens kunst-for-kunstens skyld var upassende i forhold til den konkurrence og skisme, som reformationens billedstrid og anklager om pavelig over-flod, indebar. Enter Caravaggio, Lombardiets første store maler, og det bliver klart, hvordan og hvem der skulle blive toneangivende i barokken.

Det var nemlig ved at introducere en ny naturalisme i det europæiske maleri i kombination med en overlegen brug af *chiaro-scuro* , at Caravaggio fik det europæiske maleri til at fremstå som *et gen-nembrudt mørke*. Lyset kom på den måde til at definere handlingen i maleriet og dets elementer, mens kontrasterne mellem lys-mørke, lysindfald og den milde overfladebehandling er med til at fremhæve den større sammenhæng og betydning af den begivenhed, som maleriet skildrer. Carava-ggios sidelys-mørke, og den kropslighed og relief-virkning, som han tilføjer maleriet får ligefrem figurerne til at træde ud af rammen mod beskueren. Caravaggios distinkte teatralske og livagtige kompositioner har samtidigt sin resonans i kirkens behov for at fremhæve sin appel til folks dybere-liggende spirituelle behov og kirkefadernes modvilje mod forandring. Motiverne i hans malerier: (1) Menneskelige sindstilstande (2) Det fysiske (3) Følelsesbetonede udtryk. Caravaggio gik med sabel i Roma gader og var samtidigt den, som ophøjede *nature morte* maleriet fra dekorativ gen-stand til egentlig genre.

Det valgte tema legenden om Sankt Matthæus' Martyrium indgår i Contarini-kapellets tre fortællinger om Apostelen Matthæus' liv: De to andre malerier i kapellet: *Matthæus' kald* og *Matthæus' og Englen*. Der var på daværende tidspunkt ikke nogen tilsvarende udsmykninger spundet over det samme tema i andre kirker. Dette unikum er ikke nogen overraskelse, hvis man betænker at kapel-udsmykningen gennemgik flere revisioner, og at Caravaggio var den tredje kunstner, som arbejdede på projektet. Legenden om Sank Matthæus' Martyrium findes i forskellige versioner, og der refereres til hans udklædning i apostolisk tøj i en af dem, som beretter om hvordan han mødte sit endeligt i Tarrium, Persien, idet nogle soldater pågreb ham foran alteret i en kirke   Denne beretning er der henvist til i de bortrediregerede apokryfe beretninger i det Nye Testamente, og er nedskrevet mindst to hunderede år efter begivenhederne (Kilde: Sean McDowell The Fate of the Apostles: Examining the Matyrdom Accounts). De forskellige beretninger vidner alle om mirakuløse eller overnaturlige beviser på Matthæus' tro og trofasthed overfor Jesus. Det er denne beretning, som Caravaggio aktualiserer i maleriet.

I Sankt Matthæus' Martyrium bryder Caravaggio med mannerismens kontraposteringer og form-sprog og indvier Barokken. Her skildrer Caravaggio Matthæus' martyrium, skildret liggende på en trappeafsats mens en hellenistisk drejet soldat parat til at bore sværdet i ham. En putti rækker en

101

olivengren ned til ham. Maleren kaster sit blik ud fra baggrunden iklædt på sceneriet og hans hånd kaster skygger, klædt som han er i brune og sorte nuancer, delvist dækket af *bravi gente* klædt i almindeligt hverdagstøj. En alterdreng søger at værge foran alteret, der er beklædt med et Malteserkors. Tre andre figurer er tilstede i maleriets forggrund delvist skildret i skygge. I Caravaggios maleri kommer martyriet til live på ny, hvor den apokryfe skildring af Matthæus står i centrum, og tilskueren dermed får syn for sagn på den katolske tro som en levende tro for mennesker af kød og blod. Dette modsvarer en ny interesse for by-menneskets spirituelle længsler forenet med renæs-sancens påskønnelse af almindelige menneskers beskedenhed. Og denne enkelhed kan dels ses som et forsøg på at tiltrække tilhængere til troen i form af en folkelig fromhed dels at tidligt udtryk for barokkens mere svulstige form-sprog. Bemærk skildringen af Matthæus rødehvid-sorte apostoliske kappe.

I Caravaggios palette indgår en blanding af jernoxid-farverne rød okker, gul okker og umber og mineralske pigmenter cinnober, blytingul og blyhvid og organisk kulsort samt spanskgrønt. Jord og okkerfarver dominerer mens lysere farver var tilbøjelig til at være tilsløret hos Caravaggio.

På mange måder ignorerede Caravaggio ikke blot *decorum* i sine kritikeres øjne ved at han undlod at forskønne virkeligheden, men tilsidesatte ligefrem behovet for historiefortælling, tegning og perspektivet. Der kan ikke ses bort fra, at Caravaggio hverken beherskede perspektivet og landskabsmaleriet, *digradazione* altså den proportionale reduktion i relativ størrelse samt at figurerne måske heller ikke i enhver henseende er visualisérbar i grundplanet. I praksis er spørgsmålet, om hans tenebrisme snarere er et bevidst virkemiddel med henblik på at fremkalde nyt ud af urhvævlet. Der er noget dramatisk over den måde, som hans naturalisme med 'dens rigorøse tektonik og mere plastiske håndtering af form henimod en fuldere modellering af kroppens kubiske volumen forenet med en detaljeret behandling af overfladerne og skildring af det tilfældige', tager beskueren ud på en rejse gennem mørket. Budskabet er, at lyset kun skinner for de retfærdige og rene sjæle, og vel at mærke skinner for dem i underverden, som annammer kirkens lære. Det kan kontrasteres med ini-tiationen til Renæssancen indeholdt i Boschs *Garden of Earthly Delight* , hvor der er lys og glade dage og dans i enge allerede på Skabelsens tredje dag.

Intellektuelt er Caravaggios arbejder knyttede til d'Arpino, til Peterzano, til Tizian og er informeret af Giambattista della Porta's lære om brugen af spejle, hvor konkave spejle spreder lyset, mens kon-vekse spejle samler lyset. Ved at sætte disse to spejle overfor hinanden og kigge igennem et hul og vende tingene på hovedet er det muligt at opnå et helhedsindtryk, som man mener kan have bidraget til frembringelsen af Caravaggios malerier . Imidlertid er der ikke fundet andet end et stort skjold-spejl i hans efterladenskaber. Det vides til gengæld, at Caravaggio gjorde brug af indgraveringer til at opridse figurerne, der alle er baseret på modeller hentet ind fra gaden og tilsvarende krumbøjet, kujonerede, tilbagelænet og underkuede mennesker med mudder på fødderne. Sankt Matthæus' Martyrium indgår i *Contarelli*-kapellet i alt tre billeder, bestilt af denne 25 år forinden ved sin død, som forestået af den romerske kardinal del Monte, som var Caravaggios velgører. Udsmykningen indviede Barokken, og skabte en sensation, da den endelig stod færdigt ved århunderedeskiftet i 1600. Contarelli-kapellets udsmykning lancerede Caravaggios karriere som maler. Caravaggio døde af en blyforgiftning på flugt i Malta og på Sicilien, efter at have været tilgivet af Paven.

Det er præcis Caravaggios virkelighedsnærhed, den hverdagsagtige dramatik samt den umiddel-bare tilgængelighed i hans tableauer, som gav ham så stor indflydelse på barok-maleriets udvikling. Hans naturalisme er for så vidt ny i det europæiske maleri, og med sin farvebrug tilføjede Cara-vaggio det europæiske maleri *sandhed, kraft og relief* . Hans måde at kombinere sidelys-mørke på fik hver enkelt krop, draperi og genstand til at fremstå som konstanter i de belyste såvel som i skyg-ge-områderne i maleriet. I det øjeblik de naturlige objekter overgår fra mørket til lyset sker det med andre ord med farveholdningen intakt. Det er selvfølgelig i lyset, at den stærkeste farveholdning befinder sig, og proportioneringen i Caravaggios malerier går så at sige ud på, at udfase figurerne henimod mørket, hvor farverne så forsvinder. Brugen af relief på denne måde har en tre-dimen-sionel virkning på billedfladen, og de ofte hårde lys-mørke-effekter synes koordineret ud fra lys-indfald – illuminanten er primært naturligt side-lys og skjold-spejle. Lys-sætningen i Matthæus' martyrium er som et spotlight, hvilket tilsvarende er nyskabende.

Dermed undlader Caravaggio også at tage stilling til problemerne vedrørende det atmosfæriske per-spektiv, som Leonardo rejser og tentativt besvarer. Det er ved at modellere sine figurer, som om de befinder sig i den samme dybdeflade i billedrummet, at han både forlener fortællingen med åndelig dybde og samtidigt fastholder sine figurers farverigdom i kombination med samspillet mellem lys og farve, at Caravaggio forener temaer, som protestanterne rejser vedrørende almindelige folk, med sin epokes lidenskaber på en intellektuel kæk måde. Udstrålingen fornægter sig ikke.

Denne gave gør ikke blot Caravaggio repræsentativ for barokken, men forklarer også hvorfor både barokkens malere agtede på Caravaggio, idet videreudviklingen af det europæiske maleri befandt sig i en krise, sammenlignelig med kirkens, ja civilisationens – et forhold som den milanesiske ma-ler lader sive igennem til kender-blikket.

REMBRANDT

Kaptajn Frans Bancocq og hans Selskab. 359 x 438, Rijksmuseum (1642

Dette dejlige maleri er med rette verdensberømt. Der er tale om
et gruppeportræt, malet i olie. Det er kendt som Nattevagten,
men hedder: *Kaptajn Frans Banninck Cocq og Hans
Skydeselskab.* Det er malet af Rembrandt van Rijn (1609-1669)
, Hollands *fijn-schilder* fra Leiden, i 1642. fyldt med repertoiret
af hans højtelskede figurer af spansk-hollandsk proveniens,
anført af Kaptajn Banning Cocq og Løjtnant Willem van
Ruytenburch, der optræder i gult slag, høje støvler og fjerhat,
mens chefen selv er iført sort dragt med rødt beslag og hvid

krage, som går i spænd med de to musketeer: Til venstre er det Jan van der Heede, der er ved at lade sin langtrækkende bøsse , mens til højre er det Jan Claesen Leijdeckers i David Crockett-pelshuen, der står og puster sin hage-bøsse. Løjtnant Ruytenbruch går i spænd med den lettere groteske kvindelige dværg med en kylling med klørene opad ved sin lænd, der sidder ved bordet iført satindragt og med hår ornamenteret med blomster. I skjoldopsatsen til højre ved porten er navnene indgraveret. Skjolder er formet som perle, og knytter således maleriet til barokken.

Der er i alt 34 (28) personer i billedet, 2 officerer og 3 underofficerer. Kaptajn Banning Cocq selv giftede sig med en datter af en våbenhandler samt medgrundlægger af Nederlandske Østasiatiske Kompagni, som ejede jorde nord for Amsterdam – heraf tog svigersønnen titlen *Seigneur til Pumer-land & Ilpendam*. Hav blev valgt fire gange til *burger-meister* af Amsterdam. Løjtnant Rouyten-burgh tilhører en af Amsterdams ledende familier indenfor krydderibranchen. Han er *Seigneur til Vlaamingen*.

Manden med den sorte runde hat, der samtaler med herren til højre fra ham, er sergent Rombout Kemp. Han er diakon i den calvinistiske kirke, og hans bydende bevægelse med hånden viser hans vane med at kommandere. Han var tøj- og dragthandler. Fanebæreren hedder Jan Claeszon Viss-cher. Han er boghandler og musikelsker. Han er flankeret til venstre af ældste musketeer, og til højre af yngste musketeer. Sergent Reijner Engelen, Hellebaristen, i sort-brun dragt helt ude til venstre, er tilsvarende klædehandler.

Manden i den sorte høje tryllehat i mellemforgrunden til højre er *burgher* Jacob Dircksen de Roy. Han bærer som de fleste medlemmer af militsen et stangspyd, som i kompositionen er med til at forlene maleriet med dynamik. Der er en dreng i venstre forgrund, som er ved at trække sin sabel op af skeden, mens en soldat i spansk krigshjelm er i færd med at opmarchere bag om ryggen på Kap-tajnen Banningen Cocq. Stemningen i maleriet er således præget af spændt forventning, altimens de enkelte medlemmer af selskabet samtidigt synes at gå rundt i deres egne tanker. Det er kraften i brugen af lys—mørke og træfsikkerheden i personskildringen, som udmærker Rembrandt. Lyset definerer stemningen og intensiverer den moralske atmosfære. Borgerstoltheden lyser ligefrem ud af maleriet.

Maleriets popularitet stammer fra den måde, som Rembrandt har indfanget øjeblikket, hvor Ban-ning Cocq har givet ordre til at bryde op, og selskabet sætter sig i bevægelse med spyd, lanser, sa-bel, fane, tombour, daggert og den måde, som rummet er skildret på ved hjælp af *chiaro-scuro* og samspillet mellem lys og skygge, som dels tjener illusionen om dybde mellem figurerne, men samtidigt er virksom mellem figurerne. I sin markering af afstand er han inspireret af Titians pensel-føring. Det er malerisk disponeret og elegant i sin komposition ned i mindste detalje. Banninck Cocq betalte 2600 floriner for maleriet.

Selskabet er på vej ud af klublokalerne *Kloveniersdoelen* , den hollandske nationalgardes klub-lokaler, hvor maleriet indgik i en friese med i alt seks andre gruppe-portrætter af Amsterdams distriktsværn, malet af Pickenoy, (Claesz) Backer (Cornelis de Graefs selskab), Van der Helst, (Kaptajn Roelick de Bicker & Løjtnant Blaeuws selskab) Van Sandrart (Cornelis Bickers sel-skab) og Flinck (Kaptejn Bas & Løjtnant Conijn-selskab), hvor de udgjorde en frieze, hængt op som en kontinuerligt panel. Der var i alt fire tusinde medlemmer af disse militia i Holland, kendt for sine modige og civile borgere: *schutters.* Disse andre malerier synes alle bevaret. Til venstre er det Govert Flincks gruppepor-træt. af Kaptajn Bas, som sidder på en stol af rødt velour og bærer sort hat med fjer, mens Løjtnant Conijn sidder i en grå dragt helt til højre med sabel. Signaturen er påført den første trappeafsats, som den velædige herre i sort-okker dragt til venstre står på. Kompositionen er bygget op omkring en trappe, der fører op til en balustradeafsats rundt om Oranje fanen: Man var kongetro og øn-skede borgerlige kunstneriske mæcener.

Maleriets populære titel - *De Nachtwacht* -' Nattevagten - refererer til dem, som våger dels til Nederlandenes kamp for at forblive rige og uafhængige, og til at holde sammen på den katolsk-prote-stantiske nation heller ikke så oplagt længere: Effektiv indenrigspolitisk – ej militært. Franske leje-tropper havde nemlig da overtaget spaniernes vane med at sende tropper ind i Nederlandene. Af skyggen, der kastes fra kaptajnen på hans løjtnant, kan udledes, at der er lyskilder ovenfra, mens benene kaster skygge på en måde, der tyder på en lyskilde fra venstre kant. Maleriet er blevet beskåret.

Rembrandt Hermansz van Rijn stammede fra Leiden, der nærede sin velstand som fremstillings-center af stoffer og brokader, hvilket forklarer hvorfor kunsten både er forankret i en lokal tradition og nærer respekt for og studerer ældre kunst for bedre at kunne se tingene i sammenhæng og forstå og udvikle egne æstetiske værdier. Det er i konkurrence med de hollandske landskabsmalere og respektive Rubens' sanseligt-kødelige malerkunst, at Rembrandt frigører sig som maler. Rem-brandt er trænet af Lastmanns og Schwanenburghs og studerede Dürer, Mantegna, Elsheimer, Callot og Lucas van Leyden. Leiden var en velhavende og konservativ by med et rigt og varieret universitetsmiljø – Hollands ældste - som undfangede Hugo Grotius, folkerettens – *jus gentium* – fader, en Justus Lipsius, filolog, Joseph Scalinger og Franciscus Gomarus (prædestinationslæren). I Leiden fandtes også nogle af Europas fremmeste eksperter udi *Hebraica*, der via protestantiske sek-ter indirekte påvirkede udformningen af den europæiske republikanisme i samtiden dels stimulerede tolerante samfundsformer, hvorfra den spredte sig til

Storbritannien. Denne emancipatoriske bevæg-else fra rabbiner-styre stimulerede protestantisme og nærede nationalismen. Alle disse påvirkninger indoptoges efterhånden i Rembrandts malerkunst.

Rembrandt helligede sig maleriet allerede som 14-årig, og havde derfor rigelig tid til at sætte sig ind i maleriet. Hans omgivelser gav ham en sans for det subtile og borgerskabet – bedstefolk som opkomlinge. Han flyttede til Amsterdam i 1631-33, hvor han kom i stald hos en nyrig borger. Her begyndte han at male portrætter af forskellig slags, herunder type-portrætter af soldater, såkaldte *tognier*. Skildringer af forbigående følelser interesserede ham ligeså, og en del af hans karakter-studier består af selvportrætter udformet som raderinger. Der er tale om øvelser til at styrke hans fingernemhed ved hjælp af karikaturer og grimasser, hvormed han opbygger et fysiognomisk voka-bular, som han siden integrerer i sine historiske malerier. Stemningen og tonen var da ofte vigtigere end beskrivelsen af personen og handlingen – lysets skildring, vigende konturer og differentieret skildringstæthed af kropslige dele udmærker Rembrandt. Dobbeltportrætter var dengang ikke den store forretning, men det er hans beherskelse og træfsikkerhed i skildringen af menneskers sjæl, der udmærker ham som en både åndfuld og kontrastfuld, ja andenverdslig portrættist, uden dens fortrædeligheder

. Rangorden, so-cialt drama og afbilledningen af egentlige begivenheder var de motiver, der gik igen i hans malerier. Som sådan udgør Kaptajn Banning Cocqs selskab en kulmination på

111

Rembrandts maleriske virke. Det blev malet sammen år, som hans første kone Saskia døde. Hans bidrag til det europæiske maleri bestod navnligt i videreudviklingen af behandlingen af olie og olie maleriets tekstur, hans portræt-kunst og psykologiske indleven og den måde hans lys-mørke indføjer maleriets forskellige dele i en helhed til at skildre de store temaer, som optager menneskeheden.

LORRAIN

Issak & Rebecca's Bryllup, Galleria Doria Pamphilj, 152x200 (1647).

Alt er nyt i dette maleri: En historisk-bibelsk scene sat i naturen, skildret med naturalisme, natura-lisme, naturalisme.

Sammen med Carraci, Annibale og Poussin bliver mytiske og bibliske scener nu italesat i naturen som landskabsmalerier. Claude Lorrain (1600-1682) gør det med skildringen af et *Old Book*-motiv: Isaak & Rebeccas bryllup. Lothringeren er på sin karrieres højdepunkt, og maleriet er givet i kommission af Camillo Pampfil som bryllupsgave til sin kone Olimpia Aldobrandini. Det blev han imidlertid lyst i eksil for, da Pave Innocent X, havde udset sig lykkens pamfilius som kardinal.

I maleriet ser vi et dansende par med trumburer og tromme, køer og møer, mens bryllupsselskabet sidder i en lund ved et nor med en mindre dæmning. Isaak står i farvemæssig kontrast med hyrden, mens Rebeccas alter ego – kvinden med vandkarret – er skildret i grøn-brune nuancer. Hun bliver betragtet af selskabet af siddende kvinder, hvoraf den ene i okker byder velkommen, mens kvinden i himmelblå dragt med rød-sort brokade sidder med et barn på sit skød.

Hvor landskabsmaleriet i den italienske renæssance ikke var andet end 'Proportional harmonisk med et øjebliksindtryk, der hvilede i tingene i sig selv'(da Vinci), som kunstneren forventedes at gengive og fastholde i sit atelier, så udtrykker Landskabsmaleriet i Renæssancen alligevel et ønske om en bevidst bevægelse fra en deduktiv retning til kunstnerisk teori, fra kunstnerisk praksis til kunstnerisk følelse, men synes ikke at kunne matche Lorrain, der videreudvikler landskabsmaleriet i en langt mere naturalistisk retning i et forsøg på at skildre den atmosfæriske plastik i naturen og gennem en sænkning af horisonten i maleriet. Træerne bliver nu skildret med en helt anden sans for naturens masse, og overgangene mellem de forskellige dele indgår som en integreret del af kom-positionen, mens personskildringen er karakteriseret ved den for perioden så karakteristiske kubiske form.

At finde Isaak en brud viste sig ikke nogen nem opgave. Hans far, Abraham, ledte efter en brud til sin søn men fandt ikke nogen blandt de kananæiske kvinder. Han sendte derfor Eliezer til Ur-Nahor, tilbage til hvor han selv kom fra. Her fandt han Rebecca, der gav ham vand fra brønden, kamelerne føde, tjeneren husly. Om man skulle til højre eller ventre var Rebekka og Laban, hendes bror, ikke klar over, men velsignet var Eliezer, og snart drog de af sted til Abraham & Saras hjem. Synet var vakt til live, og stor var gensynsglæden, da Isaak mødte selskabet på vej hjem fra dem, der levede i området mod Syd: *Be'er Lachai Ro'i*. For der var tale om en grand-niece til Abraham ved navn Re-becca med en guldring i næsen og et halssmykke af guld. Den brug var ikke gået af mode. Der var for så vidt tale om et helligt bryllup, der søgte at forlene legitimitet til forestillingen om foreningen af de forskellige dele af Det hellige Land: Nord-Center-Syd, Judah og Israel. Der er ikke tvivl om, at Rebecca er en af Bibelens stærke kvinder. Hun fik to sønner med Isaak – Esau og Jakob – og hævdede sig, og kæmpede for, hvad hun synes var rigtigt, men ændrede også i drengenes adkomst til første-fødselsretten ved at bytte om på gedekiddedragten, så at hun kom til at så splid imellem drengene og spille dem ud mod deres fader. Heri syndende hun mod Gud, som havde lagt sine planer for, i hvilken rækkefølge tingene skulle foregå i, er moralen. Hvad før var stort, er nu bette. Og hvad før var bette, skal være stort. Thi således havde Herren talt: Den ældre skal tjene den yngre.

Og jo hurtigere alle forstår det, jo bedre. For forholdet mellem far-søn og broderlige for-bindelser er roden til myndig optræden. Den bliver grundlagt i familien, og investerer den enkelte i hverandre, således også fællesskabet i den enkelte. Og det har ikke så meget med den enkeltes Gudsforhold at gøre, som at gode familierelationer nærer: en religiøs følelse.

Dette modsvarer på det kollektive plan påberåbelsen af en kultisk tilbedelse af det såede *in illud tempore* og velsagtens tillige fortrængningen af rituelle drab og et behov for samfund for periodisk at forny sig ved at ophæve tiden, så at Israel kan blive politisk forenet: det fælles perspektiv. Eller rettere: Israelitterne var da ved at blive til ét folk, og monoteister blev de først under rebbernes politiske ledelse, engang de blev tvunget til at udvandre fra Kannaens land og kom i kontakt med monoteismen via Farao-dyrkelsen i Egyptens Akhnetaen. Måske er der ligefrem tale om en upersonlig fornyelsesrite på individuelt såvel som kollektivt plan. Bryllupsritualet tjener da til at skænke jorden frugtbarhed.

På plateauet foran det dansende par står der en hyrde med sin stav, som selskabet ikke agter på: Hvad *skal man gøre, hvis man kunne, som man ville, men de ved jo, hvordan det er*, synes han at sige. De står overfor hinanden og danser. Rebecca spiller på håndtromme, et instrument der hidkal-der mandens sæd, og Isaak på en tambour, der vist nok signalerer vandets rislen, kvindens væde.

Dette sker i en cirkulær, arkagtig bevægelse, indenfor hvilken der synes at være en diagonalkon-struktion. Det kan være et hip til portrætkunsten, og Albertis bevingede øje: *Here I come*.

Det øvrige selskab sidder i en rundkreds til højre, skildret i orange og lilla og lysebrune nuancerog med medbragt madkurv, og sætter rettelig set moralen i fortællingen i relief. Maleriet forudskikker i den forstand den bibelske beretning og binder de forskellige scener i den fremadskridende fortælling i landskabsmaleriet sammen med hverandre. Tårnet er en ruin og repræsenterer et forbigangen imperium, mens vandmøllen symboliserer hvorfra vi er komne. Der er et ødelagt neo-romansk tårnruin med en fungerende vandmølle i venstre mellemgrund. Der er et vandfald i venstre baggrund modsat en bebyggelse på den højre bred i mellemforgrunden. Og de pukkelryggede bjerge i baggrunden er pukkelryggede bjerge, hvoraf den ene synes konvekst, det andet konkavt. En fårehund passer på sin hjord ved stengærdet, og en hyrdedreng driver kvæget fra vejbroen over en bæk til lunden, foran hvilken der spadserer en kvinde med vandskål på hovedet – et symbol på frugtbarhed.

En stor del af Claudes produktion af malerier består af ideelle naturalistiske landskaber, hvor mytologiske figurer men efterhånden også almindelige mennesker indtager en central placering i den maleriske scene, som figurerne stort set altid integrerer sig i snarere end at dominere scenen. Barokkens idé om naturen en anden end senere tiders, idet naturen blev anvendt til at udtrykke et ideal, der transcenderer den fysiske, materielle verden. Dispositionen af træer, figurer og

117

landskabsscener, de modsatrettede rolige rum og animerede narrativer, og hans udmærket kontrol af bevægelse og gestikulerende figurer integrerer historien i landskabet på en måde, som Poussin aldrig kunne opnå. Claude malede i flere lag, og dette påvirkede selvfølgelig farvernes indtryk på beskueren. Hans landskabsmalerier tager i praksis hul på stillingtagen til nogle centrale dele ved landskabsmaleriet: træernes masse , solens lys- og skyggevirkninger på bygninger og overgangene i maleriet var de byggeklodser, som Claude brugte i sine malerier. Det er takket være hans forening af naturskildringer og kompositionen, det naturlige og kunstneriske, at Claude går for at være barokkens måske bedste landskabsmaler.Som sådan skulle han inspirere Joseph Vernet og Salvatore Rosa, Turner og Constable, såvel som planlægningen af den engelske have.

Lys

Lorrain er fra det stadigvæk uafhængige Fyrstedømme Lorraine-Lothringen, og hans kuriøse blan-ding af det nordiske og det italienske giver sig intetsteds bedre til udtryk end i hans skildringer af lyset, som han fandt mest poetisk ved daggry og skumringstide.Dette kan ses af, hvordan den lysere grønne farve i træet til højre dels skildrer lysets brydning dels afstand i maleriet. Luftens klarhed er på den måde med til at påvirke vor synsopfattelse af træet. Og der er betydende skygge-effekter fra træerne, hvoraf de højeste som bekendt har de dybeste rødder. Lys-skygge virkningerne fra træerne illuminerer hovedfortællingen i maleriet på en flæset facon, og er samtidigt med til at illuminere dels figurerne dels landskabet – og hyrdehunden. Jo stærkere lyskilden er, jo længere skygge kastes der. Det ser man tydeligt ved træet til højre i anden række. Der er tilsvarende et lysindfald ret frem til højre, hvor nogle vandplanter gror: en detalje der tilsvarende er med til at illuminere hovedfortællingen. Til gengæld synes der ikke skygge kastet over ved de to herrer ved broen i mellemforgrunden, hvoraf man kunne slutte, at der er tale om Abraham og Eliezer. Der går en skygge fra venstre ind over køerne, der vandrer over åløbet. Luft og sol, skygge og lys er i det hele taget med til at graduere skildringen af figurernes overflader.

Jo, Claude havde sine fødder solidt plantet i den romerske muld. I sin brug af luftperspektivet ser vi i maleriet tilsvarende brug af farvenuancer til at påvirke opfattelsen af afstand. Det er navnligt synligt i skildringen af himmelen. Der er med andre ord tale om et naturligt perspektiv snarere end et liniært perspektiv. I sine skildringer af lyset og solens virkninger på skildringen af teksturer i maleriet og overgangene mellem landskabsmaleriets forskellige dele var Claude til en af barokkens bedste landskabsmalere. Dette kan iagttages ved vand-mølle-bygningen, der har en poleret over-flade i modsætning til tårnet, der synes at have en mere mat overflade. Dette illustrer læren om hvordan lyset reflekteres forskelligt og opfattes af øje på matte og polerede overflader. Tilsvarende er der lys-og skyggeeffekter fra vandmølle og tårn i søen, der absorberer lyset i dets vandoverflade, mens tårnet modtager lysstråler fra venstre i maleriet. Åløbet er skildret som smuldt vande. Dette er naturtro men kunne også signalere en undertrykt angst for Lothringens uafhængighed, for at blive opslugt af det franske imperium.

Med hensyn til skildringen af vandets reflektionspunkt synes dette anvendt dels til at placere vene-zianske både dels at harmonisere den inter-piktuale diagonalkonstruktionen med kompositionens helhed, således at bådene flugter med forsvindingspunktet i maleriet, der befinder sig ret frem for det ene af de pukkel-ryggede bjerge. Der kan ikke ses bort fra, at der samtidigt er tale om en *renvoi* i forhold til brugen af *camera obscura,* som ankom til Italien via Venedig.

Farve

Lorrain er kendt for sin brug af farver. Han malede gerne lag-på-lag, og påførte efterhånden et tyndt lag af maling, så at forskellige kulører fremstod i slutproduktet. I den blå farve i kvindens klæde-dragt og fortyndet i himmelen indgår Lapis Lazuli, en af antikkens råvarer, som findes i Central-asien, Egypten og Afghanistan. Den er i maleriet anvendt på to af kvinderne, den ene med barnet, den anden i rundkredsen til højre. Rebecca er malet i lilla, der er en blandingsfarve mellem grøn og rød. Farverne er her igen anvendt til at gengive bibelhistorien. Disse farvemæssige virkemiddler understreger og fremhæver Claudes evner som maler.

Kontrasten mellem den brune og den grønne farve introducerer et middel til at skabe dybde og fremme det atmosfæriske perspektiv. Det er et meget hyppigt anvendt virkemiddel i det europæiske landskabsmaleri.

Der indgår grå i både bækken og stengærdet, der er en blandingsfarve mellem sort-hvid der kan gøres mørk med rød, og lys med blå, hvormed Lorrain binder historien sammen med himmelens skildring og figurationen og tilsvarende afgrænser maleriet fra skildringen af himmelen og jorden.

3.

Sin løbebane begyndte Claude i Nancy og sidenhen i Rom, hvor han indledte sin malergerning hos fresko-maleren Agostino Tassi, som lærte ham at male skyer og himmelen og tegningskunst, som var en af Claudes forter. Kompositionen er som udgangspunkt baseret på geometrisk defineret per-spektiv, som Lorrain opøvede sig i hos Goffredo Wals, der er med til at forlene menneskets op-levelse af naturen med harmoni. Adam Elsherimer har formentlig inspireret ham i skildringen af lys.
I sin figuration var Claude inspireret af Poul Déruet, Lorraines hofmaler, hvis repertoire omfattede en systematisk skildring af glade selskaber, det dekorative ornament, og dansende mennesker: et tidstypisk portræt på det uafhængige Barok-Lothringen. Langt fra at fremstå som statiske og volu-minøse, besidder Claudes figurer en egen dynamik i det små. Figurerne er dog ikke placeret med samme sikkerhed for proportionerne og de enkelte dele, som hos van Goyen-de Cuyp-Ruisdal, hvor mennesket står mere centralt. Og hvor de hollandske malere kunne trække på fine kunstnere som Vermeer til at bistå med at tegne figurer i deres malerier, der

bidrog til at præge Vermeers evne til at skildre form, tekstur, lys og sekundære lyskilder på en måde, der forener skildringen af kvinder med bar hud i hjemlige omgivelser, der ikke var atelierer, var Claude ikke interesseret heri.

Claude Lorrain var romer det meste af sin tilværelse, og det var herfra, at hans videreudvikling af landskabsmaleriet fandt sted som et idealiserede stemningsbillede, langt fra de flamske og neder-landske mestre: De Cuyp-Goyen-Ruisdal. Heri var han inspireret af Tizians stiliserede ideal-land-skaber og Domenichinos overvindbare klassiske ideal landskaber og Poussins historiske landkabs-malerier og heroiske pastorale landskaber samt romeren af Poul Brills fremragende skibs- og flod-landskabs-malerier. Disse kolleger og deres inspiration er alle sammen indoptaget i Claudes værker. Fælles for både de nederlandske og italienske landskabsmalere er sænkningen af horisonten, som forudskikket i Italien af Bellini.

Det er vanskeligt at forestille sig andet, end at scenen er et klassisk idylliseret landskab, hvoraf det lykkelige Arkadien er det mere inspirerende i barokken, der blev romantiseret som et Chloé & Dap-hne-region i barokken, som et stykke uspoleredenatur, hvor mennesker levede lykkelige og i harmoni uden anelse om Den Gyldne Tidsalder. I så fald er indehaveren af maleriet i færd med at opdage visse faldgruber ved den ægteskabelige lykke.

DE HEEM

Desssertbord, 149x203, Louvre (1640).

Jan Davidsszoon de Heem (1606-1683) er en af Nederlandenes største stilleben-malere, fordi han forener harmonisk og brilliant farvebrug med en præcis gengivelse af objekter.

Dessertbordet er tidligt mesterværk fra De Heems hånd, der tillod ham at brillere med sin skildring af forskellige dele i

maleriet i al sin detaljerigdom: Vinglas, frugt fra forskellige
sæsoner og musikinstrumenter udgør inventaret i dette *pronk.*

Stillebenet forestiller et rigt anrettet måltid. Bordet er dækket
op med luksuriøst glas og bordvarer, en stor variation af mad
og frugter og halv spist pie. En lut er afbilledet til venstre. De
Heem havde levede i fem år i Antwerpen, da han malede dette
maleri og udgør en perfekt syntese mellem hollandsk præcision
og flamsk barok:

"From his initial apprenticeship, he retained a taste for rendering matter and
textures, which he sublimates with skilfullight effects: the softness of the
dark green velvet, the metallic glint of tableware, the delicate transparency
of the glass, the velvety skin of a peach, or, in contrast, shrivelling lemon
peel. The composition, however, is directly inspired by the Baroque style of
disciples of Rubens and Francis Snyders: the theatricality of the large
mauve curtain, the crumpled drapery, and the decorative abundance on the
brink of imbalance" (Kilde Louvre).

Nogle af frugterne påberåber sig kristne værdier. Kirsebær
betragtes som en paradisfrugt, ferskener og æbler symboliserer
den forbudne frugt, grape symboliserer forløsning og brødet og
vinen er referencer til nadveren. Maden er omgivet af stærke
symboler, som findes i Vanitas-billeder. Lutten minder om
sansernes glæder, bordets glæder og ørets fryd er lige
forgængelige i sammenstillingen her. Opmærksomheden er
samtidigt rettet mod til det blå ur for enden af bordet, som
påberåber sig tidens flygtighed og moderationen af sanselige
glæder. Globussen i øvre højre hjørne, som gardinet løfter
sløret for, minder om den det universelle i denne morale.

VELAZQUEZ

Las Meninas Oliemaleri, 321 x 281, Prado-museet (1656).

Diego Velazquez de Silva (1599-1660) blev født i Sevilla, Andalusiens hovedstad. Da dette interiør-maleri blev lavet havde *Europas største insekt* Nederlandene erklæret sig uafhængigt og det religiøse vanvid nået en foreløbig afslutning med freden i Münster i 1648, mens Phillip II's fætter, Leopold Wilhelm af Austro-Ungarn, havde opkøbt en større samling af malerier fra briterne, der til gengæld var begyndt at opdage fordelene ved magtdeling mellem kronen og de politiske eliter efter intern borgerkrig og revolutionen i 1640. Det gotiske, islamiske og renæssancen forenet med tegning, et godt tag i farvepaletten og en fornemmelse for perspektivets virkning var da spansk *vintage*.

Personerne i maleriet: Infantaen Margarita Theresa, flankeret af kammerfruerne Doña Mariana Sar-miento (th) og af Doña Isabel Velasco (tv), der agerer mundskænk for prinsessen. Dværgene til høj-re i forrgrunden er respektive tyskeren Maribarbola og italierneren Pertusáto, der puffer til den sovende hund. Både Infantaen og hunden kaster skygger. I mellemforgrunden ser vi Velazquez med palet stirre ud mod os, og let tilbagetrukket Dronning Marianas hofdame Doña Marcela de Ulloa (i nonneantræk) og en governante. Kong Phillip II og Dronning Mariana er portrætteret i spejlet i mellembaggrunden. Malerierne i baggrunden er af Rubens (Athena & Arachne-fablen) og Jordaens (Appolo og Martianerne). Disse malerier gengiver scener fra Ovids metamorfoser, og Kunstgud-indes hævn over dødelige, som udfordrer guderne ved ikke at væve, som hun havde intentioner om. Rubens-maleriet er kalkeret af Mazo, Velazques svigersøn, lige så malerierne til højre på væggen. Maleriet er malet i Diego's atelier i *Alcazar*, den spanske konges sommerresidens i Madrid i det værelse, som kronprinsen af 1. ægteskab havde boede i, dengang tronfølgen var sikret. Og måske er Infantaen just entrerede lokalet med sit følge udefra.

I spejler anes forældrene. Virkningen heraf er snart rumlig snart leg snart inter-piktoral. Rumligt udvider det beskuerens – Kongens - varetagelse af fortællingen i maleriet. I legs henseende er er der tale om et spørgsmålstegn om afspejlingen mon er det maleri, som Velazquez er i færd med at male. I inter-piktoral henseende er sigtet selv-kritisk: hvor Rembrandt nærmest inviterer os til at placere os i skyggen og nære os af sort-hvid kontraster for at frigøre sig fra skyggens mysterium, søger Valezquez i stedet at signalere sit ønske om at gøre sig fri heraf ved at placere Infantaen i lyset – heraf sparket til hunden. Pointen hermed er at beskytte Infantaen, og at kunsten kunne beskytte kongen og dronningen – om man drog lære heraf.

Herren i baggrunden er kammerherre til Dronning Mariana: Don José Nieto. Han holder i et beslag. Man aner, at han er på vej op af trappen. Dette er signifikant. Det betyder: *Hvad kommer efterpå?* Nuvel, døren er gjort i træ i et kvadrant-mønster, der sigter på at holde varmen inde i lokalerne dels er inspireret fra islamisk arkitektur, hvor det simple og noble gravmæle for samaniderner-kongerne i Bokhara udgør en matrix, som snart havde stor indflydelse på islamisk arkitektur snart skulle opnå det i Europa i form af udsmykningen af gotiske kirkespir.

Maleriet er opbygget indenfor rektangulær kasse, indenfor hvilket et diagram af ensvinklede trekanter og proportionale figurer er opregnet - det optiske forsvindingspunkt befinder sig i dørkarmen. Der er lysindfald fra øvre højre hjørne over vinduet til højre, der reflekter ned på Infantaen, der er klædt med sort-hvidt med rød sløjfe. Kompositionen er således bygget op omkring Infantaen, maleren og spejlbilledet gennem brug af farveperspektiv, diagram og diagonal komposition. På fladen er der nok tale om en se-pyramide i felter, men der er også tale om en baggrund, som figurerne træder frem på – ikke en scene – for at udtrykke en vis tanke. Kun i spejlet anes forældrene.

I sin brug af atmosfærisk perspektiv videreudvikler *Las Meninas* det europæiske maleris stillingtagen til spørgsmål om skildring af atmosfære, rum og luft, og udvider og forfiner samtidigt skildringen af det hjemlige rum her i de kongelige gemakker i form af sin gengivelse af figurer, væg, loft og gulv indenfor et rektangulært rum og med brug af diagonalkomposition. Maleriet kan i den forstand tolkes fler-dimensionelt. Pointen er, at kunsten kunne beskytte kongen og dronningen.

Bevægelse i maleriet er skildret primært ved den ene af hofdamerne Doña Sarmiento, der lænser sig ind over. Virkningen heraf i fortællingen er at sikre dels at samspillet mellem figurerne varetages dels at understøtte perspektivet fastholdes. Dette sker helt automatisk af øjet. Man behøver ikke engang at tænke herover (Kilde: Fernando Checa Velazquez, the Complete Paintings).

Der er formeligt en kontrast mellem forgrundens lysindfald, centreret omkring Infantaen, hvor rød går igen i bærgeret, den italienske legesyge dværg samt spejlet, hvor forældrene er gengivet. Fortællingen er fortfarende og kan dårligt forstås i et væk. Blikket må vandre rundt i maleriet. Der er to diagonaler i maleriet. Den ene går fra narren Pertusas til Infantaen, den anden fra dværgen Maribarbola til maleren. Emnet for maleriet: tronfølgen.

Der er anvendt rød farve i Infantaens bæger, som tjener til at oplyse hendes ansigt – rød spiller samtidigt i den violblå indbrodering på hendes bryst. Virkningen heraf er at fremhæve pigernes dragter – Las Meninas. Hendes hår er tilsvarende skildret glødende. Hendes cremegule dragt reflekterer lyset fra vinduet. Hun er skildret i halv-profil, hvilket tilsvarende er med til at fremhæve lysningerne. Lysvirkningen af bægeret er kongenialt med Pertusátos dragt, hvis groteske fremtræden da skal forstås i kontrast til hendes kongelighed dels antyder fis og ballade ved hoffet. Det er netop samspillet mellem lys og skygge, som er maleriets illusionistiske clou.

I Velazques palet indgår blyhvidt og kalkhvid, gul okker, blytin gul og Napoli gul, orange okker, rød okker,cinnoberrød og karperrød, azurit, lapis lazuli og koboltblå, brun okker og umber (magnesium brun), vegetabilsk sort, grønt gjort af azurit, gul okker og blytingul samt lilla blandet af organisk rød lak og azurit. Kalk og kobalt-blå blev anvendt som fortynder og som tørringsagent i maleriet (Kilde: O' Hanlon Natural Pigments).

Der kan ikke ses bort fra, at maleriet er en opfordring til Kongeparret om at vælge en mand til Infantaen, sammenlignelig med det høje embede, som er Velazquez betroet som kongens majordomo. Det kunne jo være hunden begyndte at gø af sin skygge. Der er spørgsmålet om beslutningstagningens kvalitet, visdommen i den dynastiske alliance med Portugal og afstandene mellem imperiets forskellige dele: Læren af Phillip d. II's tab af hegemoniet i Europa. Titlen *Las Menias* er portugisisk, og antyder at Spanien hverken kan vende Europa ryggen eller forholde sig passivt til udviklingen i tidens samfund, uagtet Latinamerikas rigdomme. Og faktisk blev Mariana Theresa giftede bort til det Hellig-Romerske Riges Kejser, Leopold I. Artede det politiske spil sig ikke i enhver henseende i Spaniens interesse, så forstod familien dog at holde sammen.

Spansk kunst forener samtidigt design, komposition og farve. Kammerjomfruerne er skildret i sort-hvide og lyseblå dragter, mens den kvindelige dværg er skildret i en djærv grøn-blå nuance (azurit-okkker-blytin gul), der spiller på hendes lidt kraftige statur og position i maleriet i forhold til Infantaen og Perusáto. Selskabet er hendes venner eller selskab ved hoffet – bemærk Doña Sarmientos røde sløjfe. Blå går også igen i spejler, hvor kongen pog dronningen er afbilledet, mens skaftet er gjort i rødt. Dette virker dels i perspektivet dels underbygger vor tese om, at maleriet handler om Infantaens kommende udkårne.

Loftet er skildret i grovkornet grå, modsat gulvfarven, der med stor effekt er skildret i en tone af mild nopret brun. Der er to lyssekrone-knager, mens lyskilden stammer fra vinduerne. Formålet hermed er vel tilsvarende dels at minde om, at dette er kongens andet ægteskab og at dronningen bør gøre sin indflydelse gældende for at sikre, at Infantaen gifter sig af kærlighed, sammenligneligt med hendes trofaste væsen. Eller: Den , der herser, hersker ikke, og den der hersker herser ikke. En klog beslutning kræver at begge køn er inde over.

Maleriet er lavet i Velazquez' studio i Kongepaladset, hvor malerierne er salonophængt .tilvenstre overnfor spejlet ses bla. en nedtonet version af Rubens' Pallas Athene og Arachne, der handler om en dødelig der udfordrer en gudelig til en væveri-dyst, som Archne taber for at blive forvandlet til en edderkop for at kunne blive ved med at spinde væverier.

Infantaen blev sidenhen bortgiftet til den habsburgiske familie. Det var Dronning Mariana ikke glad for. Faren formeligt forgudede Mariana Theresa. Det var kongens andet ægteskab. Det andet endte imidlertid uden mandlige arvinger. Og så gik den spanske krone ellers videre i en anden linje af familien. Det er den intimhistorie, som maleriet skildrer. Det politiske aspekt er Frankrigs adgang til Tyskland og Italien, forhandlet ved freden i Münster. Velazquez var både hofmaler og kurator for Phillip IV. Han var en habil samler. Hoveddelen af hans indkøb er i dag overdraget til den spanske stat og udstillet på Prado-museet i Madrid.

Fortolkning:

Formålet med maleriet er at rette Kongeparrets opmærksomhed mod at valget af en passende brud for Infantaen. Spanien kunne hverken vende Europa ryggen eller forholde sig passivt til udviklingen i tidens samfund – trusselen fra aristokratisk overflod – uagtet Latinamerikas rigdomme. Og faktisk blev Margherita Therese bortgiftet til det Hellig-Romerske Riges Kejser, Leopold den I. Der var tale om et dynastisk ægteskab mellem onkel og niece. Det vides ikke, om ægteskabet var lykkeligt. Artede det politiske spil sig ikke i enhver henseende i Spaniens interesse, så forstod familien dog at holde sammen. Infantaen var og forblev en handelsvare, som man først ville søge at afsætte den franske konge Louis XVI, en alliance mellem Europas forhenværende og potentielle hegemon. Hun blev i stedet bortgiftede til Wien, altimens en magtbalance mellem Spanien og Portugal opstod i Latinamerika. Dermed var vejen banet for fornyelsen af alliance-spillet i Europa, al den stund kaosset i England bestod og Frankrig holdt sig i ro – en fælles stat kunne der ikke blive tale om påny.

Velazquez var både hofmaler og kurator for Phillip IV. Sin uddannelse fik han i Rom og i Madrid. Han var en habil samler. Hoveddelen af hans værket og dertil indkøb er i dag overdraget til den spanske stat og udstillet på Prado-museet i Madrid. Hans andre mesterværker: En ældre Kvinde koger Æg (1618), Bredas Overgivelse (1635), Pave Innocent X, Fablen om Arachne – Tæppevæverne (1652).

Las Meninas modsvarer endeligt en kritik, som Velazquez ikke tør artikulere overfor sig selv: For hvor meget bedre er Las Meninas som maleri end de hollandske maleres skildringer af interiører ? De hollandske malere inderliggør og forvandler landskabets ensomhed til en intim atmosfære i skildringen af stilhedens fortrolighed i borgerlige hjem, samtidigt med at figur-skildringen udvikler sig og bliver mere nuanceret.

Her synes Velazquez enten at dække sig ind eller forholde sig hertil ved hjælp af naturalisme og på høvisk vis. Palads-interiører er samtidigt velegnet til at anskueliggøre perspektivet, altimens Velazquez bringer perspektiv, rum og lys i spil forenet med beherskelse af design, komposition og farve. Og så er han en god historie-fortæller.

Han rejser samtidigt nogle spørgsmål, som han ikke besvarer eller blot antyder, sammenlignelig med nogle maleriske udviklingsmuligheder han til gengæld formulerer noget klarere vedrørende lys- og skyggevirkningerne i kontrast med Rembrandt, som han nok mener at kunne konkurrere hermed. Der er for så vidt tale om et renvoi.

Sådan er vi hverken herre over kompositionens sammensætning eller dens opløsning. Santiago-korset, ordenstegnet, er påmalet, efter Velazquez' død i 1660: fire år efter maleriet blev færdigt.

KAPITEL 3

ROMANTIKKEN

ROMANTIKKEN udgør på godt og ondt en dæmon for den moderne tidsalder.

Der er tale om en dobbeltbevægelse.

Oplysningen var nu opfundet i Madame du Pompodours saloner blandt kvinder med 'dybtliggende mund, en flad næse, et skørt og dristigt blik, og dog smukke som mennesker'. Efterhånden som barbariet antog maske af fremskridtstro på Europas slagmarker, og forsøget på at erobre tiden og rummet var mislykkedes (Anatole France), dér hvor salonen var kommet til kort overfor sociale uroligheder og aristokratisk overflod, indtraf der samtidigt med Napoleons tronbestigelse et ud-bredt ønske om at distancere sig fra Barokkens overordnede formsprog henimod et kunstnerisk udtryk, der udstrålede ro og klarhed i silhuetten og stor præcision i skildringen. Kunstnere fra alle lande valfartede til Rom, og når de vendte hjem var de alle italienere på den mest national-romantiske måde. Denne nye dragt var samtidigt knyttet til andre forskydninger af mere politisk art.

Diplomatisk havde fredssystemet dog ikke fulgt med tiden. Napoleons stadige mere opfindsomme plyndringstogter og USA's og Frankrigs revolutionære ånd var således tilbøjelig til at udfordre anvendelsen af dynastisk ligevægt som ordensprincip i Europa med alt hvad dette indebar af forvaltningen af kontrol med territorier, kolonial konkurrence, dominans over handels- og navigation samt magtbalance og styrkeprøver. Til sidst havde Europa fået nok og i 1815 indgik de fine herrer en ny fredstraktat, forhandlet i Wien, Habsburgernes hovedstad. Wiener-traktaterne sendte den dristige men alt for voldelige Napoleon i eksil og genskabte en stabil fred i Europa med udgangspunkt i principper om liberalisme og nationa-lisme, territorial integritet og national enhed samt etnisk selv-bestemmelse, respektive sammensætningen af regeringsform, beskyttelse af religiøse mindretal samt national ære.

Dette blev omsat i form af et magtbalance-system, som Europa ikke havde set magen til siden det græske stats-system. Politisk gjorde der sig således et styrket England og Preussen gældende, mens Frankrig nu havde et hegemonialprojekt – republikken – som endnu ikke have udlevet sit fulde potentiale som europæisk samfundsprojekt, og som Paris sidenhen skulle instrumentalisere for at opfylde Napoleons drøm: at smadre Wien. Og så var der USA, der var blevet forenet, og Spanien, som i løbet af århundederet skulle blive de første europæere til helt at afvikle sit imperium. Da fraværet af omfattende krig snarere end elimineringen af usikkerhed var normen i det europæiske internationale politiske system, opfandt man dels et egentligt magtbalancesystem som fungerede efter hensigten i perioden 1815-1848 i form af koalitioner dels var og opfattedes Europa som en blanding af stater og imperier. Det forekom efterhånden nærliggende, at romantikken blev allieret med de mange nationale bevægelser i Europa, alt imens de intellektuelle bliver mobiliseret til at opbygge nationen. Men hvad var den mere frugtbare måde at reagere på i malerisk henseende ?

Hvor man allerede i barokken accepterer en vis elasticitet i repræ-sentation af objektet, er udgangspunktet for romantikken individet, og troen på, at sandheden boede i den enkelte, hvis følelser , smagsløg og holdninger det var kunstnerens opgave at formidle og at associere med romantikkens motiver og idealer. Følgelig bliver menneskets forestillingsevne  ophøjet, menneskets placering i forhold til og i naturen anprist, symboler og myter fra oldtiden bliver reintroduceret, lyrisk poesi, den romantiske helt i litteraturen fremhævet, hverdagens enkelthed og uskyldighed skildret, og lige så fik bearbejdningen af det eksotiske en anden klangdybde spændt ud som den var mellem europæisk imperialisme og nationalt forankret liberalisme. Implikationen er, at kirken og paladset blev sendt på pension og i stedet erstattet af museer, hvor borgerskabet kunne betragte kunsten.

Tilsammen danner denne æstetik det filter, igennem hvilket virkeligheden bliver formidlet. Man vendte på den facon verden ryggen i en malerisk struktur, hvor kunstneriske bevidsthedsstrømme gjorde valget af tema legion, og konstruktionen af nye myter tog fart, og subjekt-objekt-relationen bliver relativeret ved hjælp af den kunstneriske vilje. Handlingens enhed bliver omvalset, og tilsva-rende er maleriets kompositionsprincipper i opbrud. Individdet blev samtidigt en uudtømmelig kilde til inspiration. Jo - forandringens vinde blæste rigtig nok over Europa. Hvor naturen var noget objektivt under Renæssancen blev den nu æstetiseret og ophøjet til noget sublimt.I*A Philosophical Inquiry into the Origins of Our Ideas of the Sublime and Beautiful* (1757), skriver Edmund Burke,at svaret på denne dyrkelse af det sublime burde være beundring: "*Astonishment is that state of the soul in which all its motions are suspended with some of horror*" *and from horror there followed fear, a sense of danger, and an appreciation of vast power.* Denne særlige britiske æstetik er vigtig for forståelsen af det romantiske rum i det europæiske maleris historie, der udfolder sig som modsatrettede strømninger mellem *det sublime* og *det maleriske*, hvor engelske malere for første gang viser sig på scenen og søger at internalisere og associere sine motiver med, hvordan fremstillingen i maleriet bør foregå. Romantikkens kunstopfattelse lod således forstå, at rytmen hvormed de andre ville modernisere og demokratisere ville variere, og at folket i vidt omfang var traditionsbundne. En sekundær overvejelse var troen på muligheden for at transcendere det aktuelle og måske ligefrem gennembore den menneskelige bevidsthed. De Accepterede udtryksformer: *Henrykkelse, Skræk, Ængstelse og Ærefrygt.*

Historiske og litterære temaer, aktuelle emner, hjemlig hygge, naturen og landskaber gengivet i dra-matisk og realistisk form eller slet og ret *plein air*-landskaber går da igen i romantikken, der kan forstås som et sæt af indbyrdes forbundne natio-nalitets-bevægelser i Europa –
et område som endnu udfor-skes. De romantiske temaer bliver i den forstand stiliseret, nye lag af liv bliver skildret: børn, fattige, familie-idyl, idyller i naturen og meget fine og detaljerede skildringer indgår nu i det europæiske maleri. Myten forsvandt helt fra det europæiske maleri. En vis utilfredshed med sam-fundet går samtidigt igen i romantikken. Appellen til universelle værdier og det antroprocentriske verdenssyn blev på den måde udskiftet og nye værdier

påberåbt: integritet, oprigtighed, menneskets indre lys og idealisme. Efterhånden tog industrialiseringen fart og dermed voksende velstanden i samfundet, hvilket befuldmægtigede det bybaserede borgerskab. Klæder og boligen udtrykte det behagelige liv, altimens empire-stilen gradvist blev afløst af større beskedenhed på indretningssiden. Biedermeier-maleriet er sagligt og nøgternt, men også indadvendt – og heri var det tilbøjeligt til at give udtryk for en vis afstandtagen til det omgivende samfund med dets voksende uligheder, altimens det skildrede det enkle liv, som det udfoldede sig indenfor hjemmets fire vægge. Tidsalderen indebar samtidigt en vis udvikling indenfor kønsrollerne i takt med den stigende velstand – og små krige.

I social henseende er epoken præget af et organisk syn på cosmos, øget frihedstrang og af viden-skabelige fremskidt såsom Darwins evolutionslære. Dette medfører efterhvert en modreaktion fra de ydmygede og sårede, og vekselvirkningen mellem Den Franske Revolutions idealer og Den Indu-strielle Revolutions fremskridtshåb i kombination med det diplomatiske systems begrænsninger, den politiske egensindighed og uretfærdigheden i samfundene kommer til at definere den roman-tiske periode på godt og ondt. Ja, romantikken genspejler sig i neo-klassicismen.

Et intermezzo opstår i Storbritannien i form af præ-rafaelitterne (th), under ledelse af Rosetti, der hævdede, at det europæiske maleri var løbet af sporet med Rafaels

elegante kompositioner. I stedet valgte man maleriske motiver med vægt på skildring af personlig livserfaring, det åndelige og det kødelige. Det sker med afsæt i middelalderlige illustrationer og mellemøstlig inspiration og gennem brug af klare og brillante farver, herunder vandfarver. Til højre sesRossetis maleri af Joanne D'Arc som en troende kvinde med sværd, et tvetydigt udtryk for victoriansk avantgarde.Enter spørgsmålet om forankringen af kunsten og dens regenerering.

I UK var de fremmeste malere Thomas Gainsborough, Thomas Lawrence, Raeburn, John Constable, Turner, Alan Ramsay samt Richard Bonnington, der gerne forener landskabsmalerier med afbilledningen af ydmyge og taknemmelige portrætter af figurer i tidens smag, der var præget af aristokratiske mæcener og dannelses-rejser, klassisk indflydelse og en hurtig penselføring. At være landskabsmaler var briternes anden natur, og deres malerier skulle efterlade et dybt indtryk på de franske malere. I Frankrig bidrager Ingres med en kølig perfektion, Delacroix med et lidenskabeligt farvesyn, Corot med en stille lyrik. Og så var der Jean Louis David, der løb af med prisen for aktuel social-realisme, repræsenteret ved det kendte portræt af Napoleon på vej op af farefyldte klipper farer mod tinderne, som indleder vignetten.

Luc Ferry ønsker ligefrem at æstetisere forbindelsen mellem det filosofiske og æstetiske i en tidstypisk synsvinkel på denne epoke i det europæiske maleri. Ferry causerer over hvordan filosofiske overvejelser er med til at forlene fremdrift til kunsthistorien, som han inddeler i en kantiansk, hegeliansk og nietszeanske periode. Heraf anprisningen af en individuel, subjektiv stil, som en immanent spirituel indre og ydre form, forstås.Og hvis skønhed blot er et følelsesmæssigt udtryk for sandheden, og kunstneren behersker sit håndværk , følger, at maleriet er naturen overlegen og kan realisere målsætninger alle andre kunstarter over-legne. Måske var maleriet på vej mod nye tinder. Det vil sige, at ophøjelsen af kunstnerens autono-mi hinsides det skønne danner forudsætning for det moderne gennembrud og en vis verdensløshed i sin tro på en fremtid hinsides det gode og det onde. For så vidt har værdsættelsen af individets vilje i den moderne tidsalder tilsyneladende sit ophav i begreber om æstetiske sandheder om perfektio-neringen af vor viden om det skønne, undfanget til brugen af produktion af kunst (Luc Ferry *Homo Aesteticus*). Her i Cour-bets naturtro gengivelse af alle menneskers ophav: *L'Origine du Monde*. Sammen med Daumier, Delacroix og Gericault tegnede franske malere realismen, der tog udgangs-punkt i forestillingen om mennesket som både en tænkende person, et følelsesfuldt væsen samt et positivistisk videnskabs-syn. I Tyskland er Caspar David Friederich, Carl Spitweg og Kersting væsentlige repræsentanter for romantikken i Tyskland, hvor humor og vid forenet med alvorstung inderlighed sætter dagsordenen. I Rusland udmærker Kramskoi, Repin , Levitan og Sertov sig.

J.F.

Daubigny's *Før Stormen* (1874)

Landskabsmaleriet udgør velsagtens den væsentligste landvinding, idet romantiske malere nu for alvor forlod atelierets tyranni og drog ud i naturen for at skildre den – også fra husbåde. Det gæ-lder den amerikanske Hudson River-skolen og den franske Barbizon-skolen, som udmærkede sig med både realistiske og romantiske skildringer af landskabelige motiver, der fortsat eksisterer. Som sådan kæmpede landskabsmalerne med spørgsmål, som banede vejen for impressionisternes skildring af naturen.

Det forudsatte til gengæld stillingtagen til en række problemstillinger vedrørende repræsentationen af naturens rum og lys: Hvad er dens masse ? Hvordan indfanger man illusionen om naturligt lys ? Hvordan sammensætter man og udvælger man motiver i naturen ?

Også Danmark ønskede at byde ind på epoken, hvor landet så sig deci-meret territorielt som følge af sin alt for tætte alliance med Frankrig – i København

142

oprettede man dertil et kongeligt kunstakademi til at betrygge sindede og gav dermed anstød til den danske Guldalder i maleriet, der undfangede en Eckersberg og Lundbye, Constantin Hansen og Vilhelm Kyhn, Marstrand og Christian Købke, der alle var med til at forlene samfundet med en høj grad af kontinuitet, stabilitet og velstand. Modstanden mod politiske reformer bestod imidlertid fra kongelig hold, og almuen var ej heller just politisk vakte. Gennem sine fine skildringer af skyer og brugen af lys i maleriet fornyer de danske guldaldermalerere ikke desto mindre det europæiske maleri. Det sker i form af nationalromantiske landskabsmalerier og fine stemningsbilleder.

I Spanien gjorde Romantikken sig tidligt gældende med fremtrædende malere Francisco Goya og Melendez, der maler fremragende *bodegóns* . I Spanien findes et egentligt Museo del Romantismo, og i Portugal opfører man Pena-slottet i en blomstrende eklektisk, romantisk stil.

Ved slutningen af romantikken træder fortællingen i maleriet ellers i baggrunden, og der opstår en fornyet interesse i det eksotiske ofte associeret med Fjernøsten. Eksotismen i det romantiske maleri fandt sted på baggrund af en stigende konkurrence mellem

de europæiske stater, der i kombination med en svækkelse af det diplomatiske alliance-system ledte til øget usikkerhed ved den mindste begivenhed i kolonierne. Indenfor det europæiske maleri udfolder det eksotiske sig dels i skildring-en af portrætter af afrikanere dels af scener i serailet, haremmet eller hver-dagsagtige begivenheder såsom bryllupper, jagt og fanatiske opløb, som her søgt skildret med stor farvemæssig intensitet af Delacroix' *Løvejagt* . hvor dertrækkes tråde tilbage til Rubens'*Kampen om Flaget*og Michelangelos ufærdige tegningsskitse over *Slaget ved Anghiari* .

Endelig er der vægten på den litterære helt i romantikken, som flere malere finder anledning til at omarbejde i malerisk form. Det gælder også romantikkens udvkilingsroman *par excellence*: Goethes <u>*Faust*</u> , der dels leverer stof og spejl på en stor digters liv dels udgør en roman, hvor temaer, motiver, figurer og billeder udfolder sig i skæringspunktet mellem klassisk harmoni og fantastisk titanisme. Som sådan var der tale om bekendelseslitteratur, hvor alvor og sjæls dybde gør sig gæld-ende. Dr. Faust søger desperat efter en mening i livet, da han møder Mefistofeles, snart en sarkas-tisk dialogpartner snart negationen af den positive Skaberkraft:

Denne tvetydige figur giver ham anledning til at møde Marguerite, et problematisk billede på nåde og kvindelighed. Hun synder imid-lertid mod kirke og familie for at følge sin Faust, som til gengæld forløses

144

ved at opdage og acceptere hendes kærlighed. Goethe tager på den måde læseren ud på en dobbelt rejse, hvis egentlige destina-tion er den menneskelige sjæls dybder. Det J.P. Krafft *FaustPåskemorgen*

er med andre ord Mageren, der melder sig på scenen på ny med opfordring om at komme Herren i hu, altimens videnskaben og digtning søges forenet. Men-nesket skal se fremad og ikke være fastholdt i den gamle orden. Ja, panteismen råder snart overalt: *Das Werdende, das Ewig wirkt und lebt.* Men lader romantikken sig forene med antikken og kristen-dommen ? Eller skal Europa destilleres ?

I slutningen af det 19. århunderede følte mange sig moden til at forlade nationalromantikkens salvesesfulde idealisme, og parate til at prøve noget nyt, en epoke der startede som et fortsat opgør med perspektiv og især synsvinklen indenfor Stilleben, og sluttede med impressionismen, der tog udgangspunkt i realismen.Vi vil nu fortsætte vor komparative analyse af udviklingen i anvendelsen de pikturale virkemidler igennem det europæiske maleris historie i kontinuitet og brud med Renæssancen: det moderne maleris ledetråd.

Vi lægger ud med Goya indenfor Storia, Gainsborough indenfor portræt, Turner indenfor landskab. Stillebenet tilhører Luis Melendez, mens interiør-maleriet er gjort af Casper David Friederich.

GOYA

3 Mayo 1808 en Madrid . 268x347. *Prado-museet* (1814).

Maleriet forestiller nedskydningen af den spanske befolkning af franske revolutionstropper på den 3. maj 1808, hvor Frankrig invaderede sin allierede, for at opkræve skatter for at kunne føre krig.

Der er tale om et maleri i genren: historisk maleri. Det er malet af Francisco Goya (1746 – 1828), Spaniens største romantiske maler. Maleriet er en udsmykningsopgave til kong Fernando VII's palads i forbindelse med en fred, ved hvilken lejlighed Bourbonner-kongerne vendte tilbage til Spanien mod at 1812-forfatningnen blev afskaffet. Der kan have været tale om en gruppe af fire billeder , og maleriet kan således have et apologetisk sigte som et portræt af en stjålen generation, som det ikke desto mindre lykkes at indvarsle en ny epoke med, efter at Spanien genvandt sin uaf-hængighed.

Frankrig havde på dette tidspunkt udkæmpet en række slag med Storbritannien, som briterne havde vundet, til spaniernes store fortrydelse, hvilket så fik dem til at bidrage til Napoleons krigsindsats, om end med ringe entusiasme, da Spanierne vendte blikket mod Atlanten og Amerika, hvor Spa-niens egentlige interesser lå. Frankrig på dette tidspunkt havde den stærkeste af alle hære på konti-nentet. Østrigerne og Storbritannien var allierede mod Frankrig, der til gengæld kunne regne med støtte eller neutralitet fra Polen og Osmanniske Rige – begge russiske rivaler. Sålænge russerne pressede tyrkerne og Napoleon ikke gik i krig med Osmanner-riget, men alene hærgede tyskerne, ville Storbritannien forholde sig neutrale. Efter slaget ved Austerlitz i 1805 indgik Napoleon en række fredaftaler på franske betingelser, som imidlertid ikke ledte til en stabil fred, da de ikke tog højde for behovet for en stabil fred mellem Frankrig, Østrig, Storbritannien og Rusland, datidens stormagter, men derimod udnyttede deres momentane svagheder og modsætninger med henblik på at fremme kortsigtede franske hegemoni-og erobringsmål. Det skete efter at have mistet hegemonietover havene i 1805 til Storbritannien, efter slaget ved Trafalqar. Opbygningen til invasionen af Spa-nien, hans tidligere allierede, var i den forstand ideel. Således undfangede Napoleon snart en plan om at overfalde hollandske og britiske besiddelser i Caribien, og i 1808 invaderede han så Spanien, hvis stivnede samfundsstrukturer , undertrykte og fattige masser viste sig modtagelige overfor franskmændenes appel til en ny orden, som udelukkede monarkiet fra deltagelse af styringen af landet og inddrog folket i regeringsførelsen af imperiet (Kilde: F.W. Kagan *Napoleon and Europe 1801-1805 – The End of the Old Order*). Denne kombination af appel til masserne, Den franske Revolutions idealer om lighed, frihed og broderskab samt bekymringen for væksten i Storbritanniens flådemagt var en uimodståelig cocktail for mange spanierne, herunder Goya, for hvem krigen lige som for mange andre europæiske borgere blev en øjenåbner. Da franske tropper invaderede Spanien i 1808 skete det dog ikke så meget for realiseringen af revolutionære idealer, som for at opkræve skatter til brug for realiseringen af franske krigsmålsætninger. Dette højspændte drama – Den Iberiske Krig - så først sin afslutning i 1813. Der var tale om en regulær hegemonial krig, og spanierne skulle sent glemme Napoleons utaknemmelighed overfor sin tidligere allierede.

Maleriet skildrer denne situation med en summarisk henrettelse af sagesløse spanske bønder og munke af franske revolutionstropper som et overfald på og forræderi af den spanske nation. I bag-grunden skimtes en spansk barok-kirke og landsbyens gejstlighed, der synes at holde igen foran kirken eller at være under bevogtning af franske soldater, mens henrettelsen finder sted foran en jordhøj udenfor landsbyen, hvor blodet flyder fra allerede dræbte landsbybeboere. Det er kvinder og børn, munke og bønder, helt almindelige mennesker, som mejes ned. Den rystede og konsterneret folkemængde ser til, mens nedslagtningen foregår. Den kistelignende kasse, udført i barokstil, der snart balancerer den Sancho Panchez-lignende beskytter af folkemængden i kompositionen snart synes at lyse scenen op, beretter om, hvordan de voldelige patrioter af morgendagen stoppede her, uden frelse eller hjælp, trukket op i en forhutlet folkemasse, foran Napoleons landsoldater, der er klædt i landuniformer og grå hatte. Folkemængden synes således at genspejle formerne af dem, som bliver koldblodigt henrettet af revolutions-tropperne. I baggrunden ses landsbyen med kirke, udført i barok, foran hvilken gejstligheden skimtes.

I maleriet er der anvendt *impasto* , dvs malerklatter spartlet i maleriet. Det ses ved højen, ved kvinden og ved den 4. soldat. Dette er en teknik, som hjælper med at fremhæve personerne, og træder i et vist omfang til som skaleringsmiddel. Goya relati-verer på den facon det liniære per-spektiv som opbygnings- og formidlingsmiddel. Bemærk også hvordan højen indgår som en na-turlig rumdeler i maleriet, og det bliver klart, at der er tale om en iscenesættelse og en rumlig spa-tiering af simultanoptrin: Begravede Napoleon vitterlig Barokken ? Eller gjorde Goya det ?

Francisco Goyas betydning for udviklingen af det europæiske maleri skal ikke undervurderes. Han er trænet i den klassiske og realistiske skole i Spanien og Italien. Han inkarnerer samtidigt den ro-mantiske bevægelse, idet han hævder kunstnerens personlige autonomi og hans adgang til at gøre brug af sin fantasi til at udtrykke følelser i en mere ubehersket facon. Hans pensel flyder over male-riet og hans farvesprogs varme tonalitet forudskikker den senere realisme i det europæiske maleri. Intellektuelt støtter realismen sig på virkeligheden og ordner sine erfaringer traditionelt. Romantik-ken, til gengæld, besjæler verden og lægger vægt på alvor og dybde. Enheden i Goyas stil bygger således på personlig intuition og en forkærlighed for skildring af de følelsesmæssige relationer med sjælelig kraft. Måske kompenserer hans malerier ligefrem for en mangel på spiritualitet i det *muy catholico* Spanien. Var der farer ved den bevægelse, han gav anstød til ?

Hans malerier har en central og stolt placering i samlingerne i Prado-museet, oprettet i 1819. Og skønt få malere som ham formåede at trænge igennem til menneskets underbevidsthed i sin epoke som ham, var Goya også en enspænder med en relativ beskeden uddannelse og så blev han i øvrigt døv allerede i 40-års alderen. Det reducerede hans selskabelighed med andre kunstneriske miljøer betragteligt, om end ikke hans øvrige sanser. Som 79-årig opfandt han litografiet, mens han malede miniature-portrætter på elfenben.

Fra <u>Mengs</u> fik han vakt interessen for visse koordinater i maleriet – linie, chiaro-scuro og farve - og måske ligefrem den fremdadskuende stirren af sine figurerer i sine portrætter. Under sin videreuddannelse i Italien lærte Piranesi ham at opstramme kompsositionen, mens Tiepolo, den barokke fresco-maler, lærte ham at tapesere dekorativt som en kunstner – med bred pensel, liden tegning. Ved hjemkomsten til Spanien kom han i lære hos ma-leren Bayeu, i hvilken forbindelse han udviklede de varme farver i maleriet. Og så giftede han sig med søsteren: Josepha Bayeu. Velazquez kunne intro-ducere ham til lys-mørket: *3. maj 1808* er berømt for sit opgør hermed.Hans malerier *La Maya Desnuda* (1800/1803), skåret over statuen af den kreten-siske princesse Ariadne, var en sensation, og inkarnerede samtidigt Goyas ståsted mellem barokken og som en romantisk fornyer. Begge malerier blev i øvrigt konfiskerede af den genindførte Inkvi-sition: Så realistisk kunne man ikke tillade sig at være! Og faktisk måtte Goya, halv-basker og halv-aragoneser, igennem en lustrations-retssag i forbindelse med genindførlsen af monarkiet i Spanien. Goyas forening af international klassicisme forenet med iberisk realisme og hans egen farveglæde skulle udøve stor indflydelse på mange malere, hvoraf de mest kendte er James Ensor, Eugene De-lacroix og Eduard Manet.

Manets *Henrettelsen af Kejser Maximillian* fra 1868, hvor Mexico udråbte sin uafhængighed, udgør et fransk kompliment til maleriet 3. maj 1808. Spanien var således det første land til at afvikle sit imperium og erklære *La gran Ruptura con la Madre* i Octavio Paz' ord. Sigtet med den liberale reform var selvfølgelig at kappe de politiske bånd til Spanien, mens forfatningskampen var tilbøje-lig til at nægte, at den nye mexicanske nation, som historisk projekt, fortsatte den koloniale tradi-tion. Mexikaneren og mexikanismen definerer sig således ved et brud og en negation snarere end som kontinuitet og brud. Hans pointe er, at vor følelse af at være forældreløse animerer vort forsøg på at skabe politiske fornyelser og dermed at løse intimkonflikter, skriver Octavio Paz i *Ensomhe-dens Labyrint.*

Efterhånden gik Goya fra at være mester af lyset til at være mørkets herre. Anledningen hertil var udsmykningen i hans nykøbte hus *Quinta del Sordo* , af nogle *murales,* en indisk opfindelse og oprindelsen til graffiti-kunst, som han imidlertid undfangede som *pinturas negras.* Denne serie af malerier – Judith og Holofernes, to gamle komedienner, to ældre, en akvarel, San Isi-doro-pilgrimme - kulminerer i *Saturn æder sit Barn* (1820-23). Dette dra-matiske og melankolske døvesprog udgjorde et slags intimportæt af Goyas løbebane, som på den ene side var præget af at han var undsluppet sindsyg-en, som ramte hans moder i en ung alder, og på den anden side led Spanien under fortsatte uløste sociale spændninger, som krigen havde åbenbaret. Da Guderne indenfor den græske mytologi blot er et idealiseret udgave af men-neskene, kan Goyas sorte billeder samtidigt ses som et psykologisk portræt, ja et sindbillede på menneskelig skæbne og emancipation.

GAINSBOROUGH

The Blue Boy, Huntington Art Gallery, 178x112 (1779).

The Blue Boy er mallet af Thomas Gainsbourough (1727-1788), da han var 52 år gammel. Portrættet forestiller Johnathan Butall, søn af en velhavdende købmand, som vi ser portrætteret i fuld længe i dragt og med hat.

Dragten og skosløjfen er malet i lysseblå og hvide flæser, og fremstår i kontrast med baggrunden hvori rød indgår. Denne kontrast mellem varme og kolde farver kan opnå ved at glasere blå, og anvende et tyndt lag af rød maling på mørk baggrund. I dette tilfælde dominerer blå og et koldt lys skinner på Butalll, mens der i baggrunden indgår grønne, gule og grå nuancer. I Gainsbourough palet indgår Cremona-hvid, Gul okker, rå mørkebrun, brændt brun, rød jordfarver og rød lakfarve, grøn jorde farver, prøsisk blå, Indigo, ægte ultramarine (lapislazuli) og lampesort.

Thomas Gainsbourough var en dygtig tegner, og opnåedde stor succes som portrættist, efterhånden som hans ry voksede. Indflydelsen fra Hogarth og van Dyck er navnligt tydelig i hans portrætter. Samtidigt havde Gainsbourough erfaring med lyseffekter og penselsbrug fra landskabsmaleriet, som han dyrkedde med liden kommerciel succes.

Gainsbourough viste tidligt sit talent fra maling, og blev trænet hos Francis Waynantz i Suffolk, og i London Hubert Gravelot og Francis Hayman. Sidenhen deltog han i Hogarth's kunstakademi, som denne havde i St. Martin's Lane, og hvor Gainsbourough specialiserede sig i radering, storia og portrætter. Fra Van Dyck tilegnet Gainsbourough navnlig malerteknik: præcision og delikatesse.

Han giftede sig med Margaret Burr, en uægte datter af en adelsmand, og opholdte og levede længe i Bath, inden han flyttede tilbage til London. Efterhånden som han blev kendt modtog han kommis-sioner fra den kongelige familie. Han var rivaler med Joshua Reynolds, en anden portrættist, der virkede som hofmaler. Rothschild-familien var i gennem sine opkøb med til at skabe grobunden for Gainsbourough stigende anerkendelse.

Gainsborough var kendt som hurtigt i opfattelsen og med penselen malede han hurtigt og spontant på et lonet baggrund. og eksperimentede bla. med aquatint og blød-grunds radering. Hans enthusiasme for landskabsmalerieri kan anes i Blue Boy i dets baggrund. Maleriet synes inspireret af et langt tidligere maleri fra 1637 af den Charles den I. børn af Van Dyck.

Maleriet var længe i Butalls ejerskab, men blev til sidst solgt videre, før det havnde i Santa Monica, Californien i Huntington familiens ejerskab.

Der er blevet lavet en film af Murnau *Knabe in Blau* , inspireret af dette udmærket portræt.

TURNER

John Turner *The Fighting Temeraire*, Oliemaleri. National Gallery –London . 1838.

John Mallord William Turner (1775–1851), søn af en barber- og parykmager og en købmands-datter, f. i Covent Garden, var en eksperimentel maler i sin samtids øjne, og Englands vigtigste repræsentant for romantikken. Han elskede at skildre lyset, og blev kendt som lysets maler af sine landsmænd, og beherskede genren maritime malerier i det europæiske maleri som få. Han startede med at tegne skitser og male små malerier med vandfarver, og etablerede sig snart som landskabs-maler. Fra 1800 boede han sammen med Serres, en maritim maler, og fra 1805 åbnede han eget galleri i London.

Hans store forbillede var den franske barok-maler Claude Lorrain, der boede i Rom og som malede klassiske barok-malerier af de landlige omgivelser med en øjeblikkelighed og bredde, som inspirerede Turner. Claude Lorrains betydning for Turners maler-kunst kan næppe undervurderes, og han blev aldrig træt af at skildre transitionsperioder og symbolske begivenheder i sit lands historie. I det kendte maleri bliver et gammelt krigsskib *Temeraire*, der deltog i slaget ved Trafalqar i 1805, bugseret fra Sheerness til Rotherhithe. Det er forår, og solnedgang. Og det gamle skib skal ophugges: *The flag which braved the battle and the breeze, No Longer owns her,* skrev Turner ved maleriet, da det blev udstillet. Dermed er en verden, sejl-skibets, ved at gå på hæld. Duellen er vundet, nye udfordringer venter:

Hvad ser vi?

Skibet er skildret ganske detaljeret, mens den mindre bugserbåd er drevet som et dampskib - af kul. Solen går ned i øst og er malet, så at solen synes at påvirke skyformationernes farveglans – et naturligt kemisk fænomen. Skibets farve er andenverdensligt, nærmest spøgelsesagtigt. Flaget er ikke hejst for *general chase* og krudtild, men for businees-like neutralitet. Der er et tømmer i venstre forgrund og en bøje i højre forgrund samt en mindre motorbåd i mellemforgrunden. Alle dele er malet med let pensel. I baggrunden ses et andet sejlskib og to mindre både, mens det britiske parlament anes langs Themsens bredder. Skibet sejler vest på, og solnedgangen er derfor spejlvendt.

På dette tidspunkt lå Temeraire for anker ved Sheerness, og fungerede som kommercielt forsyn-ingsskib. Ved ophugningen var masterne pillet af hende, og skibet solgt per tømmerets pris. Turner idealiserer således erindringen om skibet, når han anvender guld og vasket hvid maling til at skildre hendes heroiske bugsering, snarere end gul-sorte nuancer, som skibet reelt så ud. Dette idealiserede billede på skibet er kontraterede med bugsérbådens skildring. Hermed kan Turner have søgt at indgyde tilskueren mod til at konfrontere den hellige frygt, som væksten i USA's industrielle magt indgyd den almindelige englænder.

Det er imidlertid for hans eksperimenter med lys, og hvordan det bedst gengives, som Turner med rette er berømt for, og som gør hans malerier så fascinerende at stå foran. Solnedgangen og skyerne er malet med en blanding af *scumbling* og *impasto*. Scumbling er en teknik, som Turner anvendte til at male skyer. Først grunder Turner fladen med et tyndt lag af hvid maling. Når malingen er tør, tilføjer han et tykkere lag af farver i levende gule-orange nuancer med uregelmæssige touch-downs på billedefladen som led i penselføringen på tværs af lærredet. Dette giver skyerne dets selvlysende kvalitet, og er med til at fremhæve solens virkninger på skyerne. Dette kan kontrasteres med malingstyper med mættet pigmenter, påført uden underlag, som giver en optisk illusion af rum-mæssig dybde. Ved glasering er bundfarven til gengæld mørk og dækmalingen lys. Glaseringsteknik giver den blå farve en anden kulør, en mere kølig valør. Det er en teknik, som Turner anvendte for eksempel i sin skild-ring omkring forurende tog ved dæmringstide. *Impasto* fremkommer ved spart-ling, som Turner imidlertid anvendte med megen maling, og som i maleriet er brugt for at give skyerne en mere plas-tisk afrundning. Begge teknikker virker kontrastgivende og dramatisk, og fremhæver skyerne.Ved bugsérbåden er bølgegangen skildret ved hjælp af hurtige, små penselstrøg for at antyde den måde, som reflekser i flodvand ser ud, når det brydes af et sejlskib.

Når Turner tiltrak sig så meget opmærksomhed og blev modtaget med så stor skepsis skyldtes det iflg. en italiensk kritiker Arcangeli ikke mindst den mening, som han igennem sine malerier i romantisk stil, tillagde naturen: en mening som omfatter alle hjertets irrationaliteter. Bugseringen overfører Turner således som symbol på reduktionen af Storbritanniens flådemagt og decimeringen af Det britiske rige – i sit indre. Det er, hvad han søger at skildre ved at placere skibet ved en nedadgående sol, anført af en mindre dampdreven båd. Repræsen-tationen af virkeligheden undergår med andre ord en forvandlings-proces, hvormed den eksterne vision og det indre udtryk skifter plads – grænsen mellem det indre og det ydre bliver med andre ord vendt på hovedet, gjort usikker. Det romantiske rum i det europæiske maleri bliver med Turner til et inderliggjort rum, hvor mennesket nærmest er en perspektivisk vision på en måde, som helt sikkert har fjernet sig fra det atmosfæriske perspektiv (Kilde: Claudio Spandoni "A Romantic Modernity" i *Turner Monet Pollock* From Romanticism to Informal art). Under den åbne himmel er menneskets position i kosmos imidlertid mere usikkert, fordi verden nu er åben; en verden der er tvetydigt uendeligt. Når perspektivets regler ikke længere definerer rummet, som skyerne og havet horisonten i naturen, er mulighederne for at præsentere 'sentimentalt materiale i fantastisk form' (Schlegel') så meget desto mere fristende. Exit humanismen og et antroprocentrisk menneskesyn. Turner lever og ånder imidlertid denne kultur indefra, sammen-lignelig med intense oplevelser på havet. Spørgsmålet er i hvilket omfang briterne tegnede romantikken ? *Expectorando* ?

Det er nok ikke tvivl om, at Turner er en af de mest egenartige landskabsmalere i det europæiske maleris historie, som udøvede stor indflydelse på en generation af malere. Som få er han optaget af skildre luft, atmosfære og uendlige, idet han bruger lyset som medie. Hans interesse herfor var vakt gennem studiet af topografi og produktion af vand-farver, kobberstik , teateropsætninger samt oliemalerier, som han formår at forme til en harmonisk enhed og følelse af drama. Netop brugen af vandfarver er karakteristisk for de britiske romantiske skole, som Turner amvender sammen med kemiske farver Chromgul,

Kobalt-blå samt Emerald-grøn, såat man næsten fornemmer Londons forurening kommer ind under huden.Turner var Londoner med hjerte og sjæl, og talte med en tyk Cockney-accent igennem hele livet. Han havde mæcener i aristokratiet Jarlen af Egremont, for hvem han malede stemningsfyldte land-skabsmalerier. Hans samfundskritik fik bid, når han skildrede skibs-forlis, fyldt med slaver, som europæerne havde ophævet, men fortsat handlede med i stor stil – som et ophøjet drama i naturen. Ingen som ham kunne skildre et stormvejr til søs og katastrofer til havs. Hans malerier fra Venedig som *Campo Santo og The Dogano, San Giorgio, Citella*(1842)nyd stor popularitet. Turner tjente sin formue som illustrator af Englands floder , havne -og lokalegne. Hans erindringskunst og associeringsevne i hans beskrivelse af dagliglivet i England, af industri og fritid, afspejlede nationen og byen, han levede og åndende i, og har sikret, at briterne opfatter 1800-tallets Storbritannien gennem Turner's øjne.

Turner opretholdt et professorat i perspektiv 1808-1837 i *Royal Academy of Arts* , hvor han udgav en bog *Liber Studiorum,* hvor han gav udtryk for sine synspunkter på opbygningen af maleriet og systematiserede det britiske landskabsmaleri i genrer: Pastorale, Marine, Bjerge, Historiske,Arki-tektoniske og Episk pastrorale. Altimens han som landskabsmaler ladede landskaber med kunstne-riske, historiske og følelsesmæssige motiver, bidrog han ved at tage tidssvarende emner op, afvise illusionen og med sin vægt på malergerningen til at give andre malere modet til at komme ud af atelierne og male *plein air*-landskaber. Enkelte af hans malerier er så fuldstændig indoptaget af det maritime, at de i dag regnes for en prototype på abstrakt maleri: malerier som man kan blive fuld-stændig væk i.

MELENDEZ

Stillife with Melons and Pears, BostonMuseum of Fine Art, 64x85, (1772)

*Meloner og Pærerog Køkkengryder*indgår i Melendez' *bodegónes* (1774). I maleriet ser vi en vævet køkkenskål med viskestykke og et rundt fladbrød, en skål af jordvare dækket med et sort låg, en spisetallerken med to træskeer, en korkkurv for at nedkøle vin, og en lille tønde med en træske, der dækker den over munden. To isolerede pærer i venstre forgrund leder beskuerens øjne til en gruppe af plukkeklar pærer i centeret af maleriet og til den store melon i højre forgrund.

Dette stilleben er fyldt med sfæriske former og i forskelligartede i dets tekstur. Der er en rød farve på flere af de modne pærer.og hele arrangementet af dagligdags ting er præget af en sober perfektionisme, solidt design og sanselig realisme forenet med en fin sans for farvernes tekstur -navnligt skildringen af melonens overflade er fremragende. Da ser man, at hans komposition er ordentlig og klar, og trækker på kontrasten mellem lys og farve i sin intense skil-dring af det spanske madkammer. I fletkurven er der lagt et viskestykke, skildret med draperet fol-der, ovenpå enten et stykke brød eller en svamp med en form, der harmonerer med pærerne og far-vemæssigt er skildret, så at den står i perspektivisk kontrast med melonen. Om de øvrige dele i ma-leriet forstår vi ikke andet, end at der er rørt godt rundt i tønden, at der er en keglestubformede emaljerede top med sort låg på, mens en vinflaske er placeret i et korkfad i baggrunden. Skildringen af deres overflader er præget af stor kvalitet og en suggestiv præcision, som om elementerne indgår i en modsatrettede helhed, egnet lige så til belæring om massens fylde og fladens skildring og for-mernes harmoni, som til anvendelsen af dels farveperspektivet dels skarphedsperspektivet dels konturerne, så at stillebenet fremstår med både mådehold og balance. Der er ikke for ingenting, at der er en røreske i den store tønde, som i den lille skål. Cervantes heoriske tidsalder var nok ved at gå på hæld, men det spanske Stilleben som stod i tæt kontakt med udviklingen indenfor det neder-landske Stilleben formåede endnu at forny. Diagonalkonstruktionen anes fortsat i maleriet, men det er brugen af koniske strukturer og cylindre, at Melendez' stilleben-malerier er kendt for, samtidigt med at den fremstår som en formaning mod overfloden med sit udgangspunkt i skildringen af den spanske bondes køkkeninteriør.

Som sådan udgør maleriet et eksperimenteren med rummet og kanterne.

Melendez var trænet af sin fader, der udgjorde en af initiativtagerne til det spanske Kongelige kunstneriske akademi, og som var miniturist, og opholdte sig i en længere periode i Napoil, hvor han modtag inspiration fra Mengs som Goya og inspirerede Romero og Nani.

Luis Melendez startede selv op som miniaturist og hans tidlige arbejder er karakteriseret ved liniær beskrivelse af form, en tilbøjelighed for geometrisk soliditet i modelleringen af attributterne og en samvittighedshedsfuld opmærksomhed på detaljer. Hans interesse i volumetriske studier blev antageligt grundlagt igennem miniaturemaleriet, og sidenhen udviklet til hans fremragende teknik med dens hans hang til rigorøs kompositorisk sans, formel monumentalitet og præcise detaljer, alt sammen undfanget i en omgivende atmosfære med skarpt lys fra venstre og chiaroscuro i baggrunden (Kilde: Eleanor Tufts Luis Melendez. Spanish Still_Life Painter of the Eiteénth Century).

Melendez foretark beskrivelser af køkkensager- og remier fra hverdagskøkkenet eller bondekøkkenet, såkaldte bofegones, som han malede med en s ober men sanselig realisme. Han smagte på fladerne, overfladerne og farverne fra melonen over korkproppen på vinflaske til pærer og andre frugter, som alle indgik i en tilfredstillende fornemmelse for balance og målrettethed.

Han modtog ikke mange kommissioner, og dødede ludfattig. men hans værker prydede til gengæld den kongelige sommerresidens.

FRIEDERICH

Kvinde ved et Vindue, 44x37, Alte Nationalgalerie - Berlin (1822).

Casper David Friederich (1774-1840) er den mest kendte af de tyske romantiske landskabsmalere, og det er fra hans hånd, at vi har dette interiør-maleri af en kvinde ved et vindue, der er placeret eftertænksomt ved et vindue, hvor man ser et skib. Maleriets komposition er kendetegnet ved en symmetrisk komposition, hvor vertikale og horisontale indføjer sig i en orden orienteret mod det åbne vindue. Lysindfaldet er bestemt fra midten af og kommer fra højre, så at den flugter med kvindens krop og hans farvemæssigt changerende dragt, og fortsætter langs med gulvlinien. Synsvink-len er sat løjerligt let fra venstre. De brede gulvdele giver maleriet dybde. Skønt vinduet er åbent forneden og beskåret fra oven, så at maleriet svæver ud i i det åbne, er virkningen af et lukket interiørrum, et stille rum.

Igennem de nøgne vægge og de brede gulvbrædder opnår beskueren en følelse af tomhed. Rummer virker trangt og livløst. Bortset fra de to små glasflasker til højre i maleriet befinder der sig ingen genstande i rummet. De grønne toner virker bestemt også neddæmpende på atmosfæren i rummet. Gennem hendes let krummede holdning indføjer hun sig i billedets symmetriske komposition. Sammen med vindueskanten danner hendes krop en korsform.

Da hun er placeret i flugtlinien får det uværgeligt beskueren til at deltage i synet på verden udenfor.
De dunkle farver i interiøret står i kontrast til de lysere farver udenfor, mens omverden er malet er i satte, strålende farver. Effekten er at koncentrere blikket omkring vinduet. Symmetrien opstår gennem dem til højre skildret flod, skibsmast og poppeltræer. De afviger imidlertid fra perfekt symmetriske afbilledning og giver på den måde maleriet sin stemning af en vis harmoni takket være kvindens levende farver. Igennem ovenlyset og vinduet skinner solen. Dette er

den eneste lyskilde i maleriet og man kan se en skygge falde på gulvet ved kvinden.

Friederich begyndte sin undervisning hos kunstneren Johann Quistorp på universitetet i Griefswald. Han modtog inspiration fra teologen Ludwig Kosegarten, som påvirkedeFriederich med sin panteisme og at naturen var en synliggørelse Gud. Igennem ham mødte Friederich også Adam Elsheimer, som arbejdede med religiøse motiver og natlige motiver (Kilde: Wikipedia).

1794 rejste Casper David Friederich til København for i fire år at følge undervisningen på Kgl. Danske Kunstakademi, hvor han modtog undervisning af Nicolai Abildgård, August Lorenzen og Jens Juel, og hvor en blanding af klassik og præ-romantisk indfølen, og hvor nordiske guder blev dyrket. Opholdet stimulerede Freiderichs interesse for landskabsmaleriet. Sidenhen flyttede Friederich til Dredsen. Kontrasten mellem materielle goder og det åndsliv liv gjorde sig gældende i Friedrichs samtid, hvor en revurdering af naturen fandt sted. Han modtog ligeledes undervisning i kobberstikkeri.

Sit ry grundlagde han fra 1805 gennem en række udstillinger.

Fortolkning

To verdener mødes i dette maleri. Den ydre og den indre. Modsætningen mellem disse bliver forenet af kvinden og hendes længsel efter naturen og dets skønhed.

Kvindens blik ud af vinduet på poplerne og skibsmasterne på den modsatte flodbred giver sammen med den rygvendte afbilledning det klassiske romantiske længselsmotiv. Maleriet kan imidlertid også fortolkes som en religiøs allegori. Interiør-rummet repræsenterer i den forstand det jordiske livs afgrænsning, som igennem Kristus, symboliseret ved korset i det øvre vindue, rummer lyset til det evige liv. Den hinsides bred inderliggører væren efter døden, skibene er et billede på den individuelle livsrejse og beredskabskabet til at bryde op til den modsatte bred.

KAPITEL 4

DE TIDLIGE MODERNE

Lad os nu vende blikket mod det moderne maleri, hvis ulykke det var at være et barn af romantik-ken, impressionisterne og de tidlige moderne malere. For hvis romantikkens interessante og skræk-kelige produktioner lod folket henrykke i tanke og følelse i henhold til digterens opfattelse af virkeligheden, krystalliserede den kritik, som Delacroix, Turner, Corot og Courbet havde rettet mod akademismen sig nu i impressionismen. Intellektuelt er en impressionist en realist: Agter på linien, kendskab til anatomi og perspektiv og beherskelse af lys-mørket. Impressionisten skildrer imidlertid verden sanseligt, ved hjælp af sin personlige intuition for at gengive øjebliksindtryk – primært i naturen eller i et interiør. Impressionisterne orienterer i den forstand realismen mod nye værdier: Hverdagsscener, helt almindelige folk og friluftsmalerier. For den ægte kunster eksisterede der nu ikke længere noget objekt, der var helligt, altimens man begyndte at afsøge det liniære perspektivs muligheder i kombination med rekonceptualisering af brugen af farver. Parrallelt hermed foregik der en mere systematisk udvikling af opfattelsen af fysiske objekter i forbindelse med en systema-tisk undersøgelse og teoretiseren af farvesammensætningen og forestillingen om bevægelsen i maleriet. Objekterne kunne nu flyde ind i hinanden, antage hinandens farver, mens

171

skyggevirkningen blev mindre skarp optrukken. Centrale arbejder i denne forbindelse er (**1**) teoretiske arbejder om simultan-kontrast (Helmholtz), (**2**) Visionens fænomenologi (Sutter) samt (**3**) Fysisk optik, der handler om fotografiets indflydelse på opfattelsen af virkeligheden. Fotografiet kvalificerede såle-des visse aspekter ved både produktionen og opfattelsen af den kunstneriske gengivelse af virke-ligheden, som den kunstneriske proces måtte tage højde for, hvis den skulle forny det europæiske maleri og samtidigt forblive universel.

Renoir *Kvinde med Datter* (1879).

Et objekts farve er herefter ikke længere et givent og en funktion i henhold til matematiske love i en given objektiv kontekst, som i Renæssancen-Barokken, men konceptualiseres i stedet indenfor en ny ramme, hvor farve og lys orienteres i stedet mod at udtryk-ke en atmosfære, følelser og ideer. Et objekt kan således af-spejle et andet objekt i form af en sammensætning af primær-farver – rød, gul, blå – med komplementær-farverne: grøn, violet og orange, og samtidigt vil et lys-indfald skulle gengives med skygger i farver og i transparens, og skygger reflektere sig i belysningen af et objekt, således at farverne opdeler sig i fragmenter og dermed skaber et nyt helhedsindtryk. Heraf betegnelsen impressionis-terne, der var den første fuldgyldige moderne maleriske bevægel-se, som Europa skabte. Planlægningen af maleriet og opridsning-en af konturerne af objekterne finder nu ikke længere sted i hen-hold til linie-perspektivet. I stedet konceptualiseres lærredet som en rum-kontinuitet, hvor bevægelsen i maleriet er defineret ved modsatrettede farvetoner, der vibrerer og flyder ind i hinanden, som en porcelænsmalers efemærisk-skrøbelige penselstrøg

Implikationen af afkaldet på brug af konturer og modeller, fragmentering og modsatrettede touche-ring ved flad pensel er, at formerne og perspektivet i det europæiske maleri bliver relativeret. Kon-turerne i maleriet og modellerne skiftede dermed karakter, lige så anvendelsen af *clair-obscur*, der nu oversattes til åbne former og ikke-afsluttede atmosfærer. Og dog så var det toucheringen, som slår kadencen an hos impressionisterne. Med hensyn til sidstnævnte er impressionisterne inspireret af den japanske maler-skole *Ukiyo-i*, der gør brug af høje udsigtspunkter, insisterende horizontale inddelinger af maleriet samt spatial tvetydighed i sin skildring af banale ting i tilværelsen. Degas var en mester heri, og hans ballerina-malerier illustrerer introduktionen af denne nye synsvinkel til løsningen af visse problemstillinger vedrørende gengivelsen af bevægelse i maleriet.

Når øjebliksindtrykket og det sanselige skal skildres, er der samtidigt tale om kontinuitet og brud i den euro-pæiske malerkunst. Det, som sker i rummet, er dog ganske nyt og anderledes fra det, som optog Rennæs-sancen, hvor konkave og konvekse vinklinger er med til at definere maleriet og skabe illusionen om dybde i maleriet. Mens kompositionen af linien, illuminationen og farvevalget er med til at forlene det barokke maleri med større dynamisk bevægelse, sammenlignelig med en apostrof over renæssance-maleriet, tager det impres-sionistiske maleri udgangspunkt i optisk teori, hvormed indramningen og fikseringspunktet i det europæiske maleri er givent, som om en affotografering af motivet har fundet sted, sammenlignelig med en decentralise-ring af og brud med den symmetriske akse i maleriet. Implikationen er, at det liniære perspektiv er overflødig-gjort. Impressionisterne sætter åbne og dybe overflader i stedet, hvormed iscenesættelsen af en moderne fortælling har fundet indpas i det europæiske maleri i henhold til en logik, informeret af og afgrænset af fotografisk teori. Impressionisternes opdagelse af de rummæssige virkninger af et innovativt og teoretisk velfunderet brug af rum

og lys er intet mindre end en kunsthistorisk bedrift i det europæiske maleris historie (kilde: Eugen Schileru *Impressionismul*). Degas gjorde dette gen-nem brugen af pastelkridt, hvormed han skabte rummæssig dybde. Og dog så er der tale om en par-tiel repræsentation.

For de tidlige moderne malere accepterer nok, at kameraet har fået overtaget på gengivelse af lys og bevægelse inde og ude, men ikke over farvetone, perspektiv og kompositionen i maleriet. Fremstillingen af de impressionistiske malerier sigter således på, at førstegangs-indtrykket skal fæstne sig hos beskueren ved at fokusere på disse virkemidler.  Den store genkendelighedseffekt som impressionistiske malere nyder i dag vidner om, i hvilket omfang de ramte ned i tidsånden og for første gang i historien gav det europæiske maleri en førerposition indenfor kunstarterne: Degas, Manet, Renoir. Monet og Cezanne og Pissaro. Morisot, Bazille, Cassat. Hvor mange af disse malere kan man i dag ikke nikke genkendende til?

Seurat og Signac systematiserer impressionisternes farvelære og gjorde sig gælende med flere reg-ler til at sikre en både mere harmonisk og stabil struktur i maleriet og udbredelsen af impressionismens ideer til andre kunstretninger.

Sidstnævnte kom der nu ikke meget ud af, men Van Gogh og Gaughin omsætter kritikken og fornyer på hver deres måde det euro-pæiske maleri som post-impressionister gennem brugen af farveperspek-tivet og komplementær-farver. Begge døde de ludfattige. Ikke himmelen og skyerne, men solen og friheden i naturen animer-ede impressionismens ma-lere. Fælles for dem alle var en trofasthed mod deres skabelsesmæssige oprindelse og en dyb overbevisning om, at den stigende åndelige og moralske frihed skal og må bringes i overens-stemmelse med tidens humanistiske og demokratiske idealer. Bagsiden af medaljen var, at besku-eren dermed stoppede med at varetage fortællingen i maleriet, og i stedet blev indsuggerede en

 projektion på lærredet af et øjebliksindtryk *qua* kunstnerens farve-og lysglæde. Hermed lånte man intellek-tuel trovær-dighed til forestillingen om, at ingen andre visioner var mulige eller ønske-lige. Det skul-le snart vise sig, at heri havde impressionisterne taget fejl.

I forlængelse af impressionisternes betydelige innovation af maleriet, opstod der snart et intermezzo i form af naturalismen dels symbolismen, som reagerede mod naturalismen ved at hævde en transcendent virkelighed og anvendte symboler som gyldige tegn på menneskelig subjektivitet. I sine skildringer af mennesker lagde symbolisterne vægt på menneskets sjæleliv og indre konflikter i forbindelse med moderniseringen af samfundet. Ja al kunst er og vil altid være symbolsk, en afspejl-ning af kunstnerens indre åndelige liv, erklærede Johannes Jørgensen. Edvard Munch er den frem-meste repræsentant for den symbolistiske strømning i det europæiske maleri, hvor farve, komposi-tion og tema synes at gå op i en højere enhed.

Hans bidrag skal navnlig ses i sammenhæng med hans skildring af den ængstelighed, som moderniseringen giver mennesket. Tag maleriet *Aften på Karl Johan* (1892), et *eclairage* på ' en flad kunst med korte rødder' , hvor den ulykkelige og en-somme kunstners opfattelse af verden, der går ham forbi , er skildret, mens han spankulerer videre, efterhånden som dagen går på hæld. Det skandinaviske tungsind: Indadskuende og ineffektivt og dog ikke uden en vis stemning.

Vilhelm Hammershøi's bedste malerier reflekterer til gengæld over det danske guldalder-maleri i skæringspunktet mellem symbolismen og natutralismen, tømt for narrativt indhold og forståelig-hed, sammenlignelig med en perifær kulturs akkulturation spændt ud mellem lyse nætter og mørke vintre. Hammershøis tilgang afspejler en tvetydig indstilling til moderniseringen og hans maleriske *statement* - skildret i form af let forsagte og dog viltre kvinder – trækker tråde tilbage til Vermeer og fornyer i forhold til Biedermaier-kulturen og sen-romantikkens realisme – overlegne lysstem-ninger er virkemidlet: Hvad er meningen ?

Der var således andre kunstcentre i Europa, andre internationalt orienterede metropoler, som ud-øvede stærk tiltrækningskraft på de omkringliggende landes borgere med et kunstnersind: Wien-Paris- Berlin lå i skarp konkurrence – og så var der Sankt Petersburg. Hvordan maler man i disse byer ?

I Habsburg var der betydelige socio-økonomiske forandringer, som ledte til nye magtstrukturer og attituder, fraværet af en borgerlig revolution og tilsvarende forfatning skabte politiske spændinger, mens det intellektuelle klima i Wien var under fornyelse, idet det blev beriget af en fælles mentalitet og samhørighed bandt intellektuelle fra Kroatien, Slovenien, Italien, Ungarn, Tyskere, Czekere, Jø-der samt Rumænere, som alle anså Wien som en scene, hvor de kunne fremføre og diskutere, samt lancere sig. Kunsten var en syntese heraf. For tyskernes vedkommende gjaldt det, at de i et vist om-fang følte sig klemte mellem et rigidt politisk system og et landbrugssamfund, som ikke længere var tilstrækkeligt til at udvikle og fastholde bysamfundene og nationaliteterne som et kohærænt hele. Man brød også alliancen med Rusland. Der begyndte derfor at danne sig forskellige kunstneriske grupper omkring ledende intellektuelle såsom Jung-kredsen og Freud, der udviklede en lære om psykiske forstyrrelser forbundet med drømmetydning , underbevidste kræfter, individuelle og kul-turelle patologier af totemistisk karakter, samt seksuelle frustrationer, af hvilke han stødte på en del eksempler i sin klinik – i Wien.

I Wien begyndte ligeledes *Art Nouveau*-bevæg-elsen omkring Kalman Moser, Gustav Klimt og Otto Wagner, Maximillian  Lenz, Leopold Stolba og Ferdinand Holder, som udstillede på Seses-sionen, opført i 1897-8 af Olbrich med henblik på at

179

forene og finde en gylden middelvej for for-nyelsen af kunsten indenfor maleri, arkitektur og skulptur. Måden udstillingerne blev arrangeret på var ikke længere i henhold til kunstnere og emner. I stedet ønskede man at give tilhørerne en total-oplevelse ved at indføje hvert enkelt kunstnerisk del i et æstetisk hele. Som hjælpemiddel hertil tænkte man også i baner for indretnings-design, så at alt fungerede i sammenhæng. Den rummæs-sige indretning sikrede dertil en fremadskridende bevægelse i udstillingen, så at det enkelte kunst-værk kom til sin ret, så at man stopper op ved et kunstværk og reflekterer over menneskehedens svaghed: Beethoven-friezen. Denne er ornamenteret med guldblads som er skik og brug indenfor kirken og fremhæver strukturen, og organiske i forhold til den totale masse. Der er for så vidt tale om, at den fremadskridende orden i museumsbesøget konvergerer med friesens malerier, som inkarnerer en art sakralisering af kvinden og hendes seksualitet, sammenlignelig med det erotiske status som den kreative proces' velsignelse og forbandelse. Genkendelsen af sig selv i Den Anden bliver på den måde et middel til at adskille mennesket fra det guddommelige i menneskets søgen efter det Absolutte, som mennesket er differentieret fra, alt imens det momentant kan forene sig med det. Dette er en jødisk tankegang, der implicerer kunstneren som om han var en engel, eller en formidler der fordrer immanens gennem kærlighed til kvinden og hendes seksualitet i skærings-punktet mellem det transcendente og absolutte: *Et Kys til Verden!* Et andet tempel måtte da op-bygges, skulle det gå Wien ilde. Heraf tillige påberåbelsen af Bethoovens 9. symfoni med dens hyldest til universelt broderskab. Den er i dag Europas nationalsang. Dette modsvarer en samfunds-kritik af datidens intellektuelle klima dels en hyldest til Wiens intellektuelle univers, hvormed Secessionen søgte at bidrage til Habsburgerrigets fremgang.

Opførelsen af Seccessionen skete med fuld billigelse af Wiens bystyre, som i øvrigt antog Teofilus Hansen som arkitekt for opførelse af byens nye rådhus ved Wiens indre ringvej. Efterhånden forekom sirenerne fra franske politiske ideer dog uimodståelige. Politisk handling var derfor påkrævet, hvis det multinationale rige skulle hænge sammen. Den politiske reformvilje udeblev imidlertid. I Kafkas værker *Slottet* og *Processen* er denne problemstilling genspejlet i fantastisk-absurd form, som om varetagelsen af far-søn relationen lod sig poetisere, sammenlignelig med de lidelser som fraværet af politiske institutioner kunne have af betydning for storpolitikken, samfundsudviklingen og lige så det enkelte menneske: *Det Gamle Røvhul!*

 Tilsvarende indarbejder Secessionen Tarot-kort i sin fremadskrid-ende fortælling: Magikeren,Sværd, Dronningen af det Hinsides, Charles-esset, Tossen, Styrken, Vandrestaven samt Dronningen af Sværdet. Man udtrykte på den måde universet, idet man antog den manglende fleksibilitet i politikken som udtryk for

mangel på om-gang med det modsatte køn, hvormed man opfordrede til at slå bro over monarkiet, aristokratiet og folket, som ikke var identisk med masserne, uden at forpligte sig til en radikal individualisme, alt-imens man hævdede kunstens autonomi (Gottfried Fliedl: Gustav Klimt. *The World in Female Form*). De fremmeste malere indenfor *Art Nouveau*-retningen: Gustav Klimt & Schiele. Deres respektive malerier kan i dag betragtes på Leopold-museet og på Belvedere-museet i Wien.

Netop Otto Wagner så det som sin fornemmeste opgave indenfor sit felt at skabe en anden be-skrivelse af verden, end den som hidtil havde gjaldt. Hans tanke var at skabe et *Gesamtkunstwerk* , at udsmykke byen og at integrere kunsten i byen som en del af en livsstil. Dette kom Joseph Hoff-mann sidenhen til at realisere i *Palais Stoclet* (1905-7) i Bruxelles, hvor både den højtidelige og menneskelige karakter af hjemmet er understreget og samtidigt med at der er anlagt et helhedssyn på indretningen, frigjort fra den habsburgiske kontekst. Friesen er ligesom i de assyriske paladser, der befinder sig på Louvre, udstukket i relieffer som ornamenterer rummet og er fuldt integreret i væggen. Forgrund og baggrund er smeltet sammen med hinanden i relieffernes, mens livstræet er flankeret af to malerier med mennesker i naturlig erotisk forening.

Spiserummet er indrettet med balustrade-lamper i loftet, mens slutmuren i spisestuen er dekoreretmed et abstrakt relief, omkranset af lamper, der er inspireret fra Mexico. Der er tale om mosaik-belagte gulve, afstemt med spisebordet, der inviterer til kontemplation og fællesskab under ind-tagelse af middagen, omkranset af udsmykningen. Og dog så er relierne alle understøttet af en ret linie, som om der var tale om en struktur – der er med andre orde tale om at Secessionen er gået udenbys – tilnærmet sig Paris - for at påberåbe sig indfrielsen af sine politiske idealer i et nyt politisk system, med reference tilbage til det europæiske maleris historie. Pointen er, at det skal være Wien der slår kadencen an, selvom det ikke er her, at de nødvendige politiske reformer måtte blive gennemført for at forny det gamle barok-monarki.

Art Nouveau-stilen skulle i stedet sprede sig med lynild til andre storbyer i Europa: Glasgow, Bar-celona, Bruxelles, Nice, Wien, Stockholm samt Riga, som alle gav *Art Nouveau* kunstnere mulig-hed for at udfolde sig og dermed forny hele by-landskaber og kvarterer. Det var navnligt i byg-ningsmæssig henseende, at *Art Nouveau*-bevægelsen gjorde sig gældende udenfor sit oprindelses-land. Det skete navnligt i form opførelsen af paradoksalt nok lejligheds-komplekser, karakteriseret ved innovativ dekorativ ornamentering og funktionel indretning af boliger i en slags *biologisk romantisme*, hvor naturens foranderlighed og dens indre styrke blev genspejlet i bygningsstilen, som snart udviklede sig til en egentlig æstetik. Helhedsorienteret løsninger og brugen af glasmaleri, ke-ramisk udsmykning og dekorative malerier blev nu reintroduceret som vidnesbyrd om, at endnu en kunstbevægelse havde set dagens lys. I Oslo, til gengæld, lod man opføre en park. Arkitekten hed-der Gustav Wieland og er opført i Jugend-stil, *Art Nouveaus* søster-disciplin, som Alphonse Mucha forlenede med storhed og glans. Hans ophøjede og episke stil forenede nytte med dyb katolsk spiritualitet – ofte gennem udsmykning af glas, der dels tillod at filtrere lyset dels knytter ham til hans hjemstav i Moravien.

 I Letland, hvor tyskere, russere og lettere den dag i dag styrer for vildt, gav det kunstnere som Mikhail Eisenstein (tv), Hein-rich Scheel og Augusts Reinsbergs mulighed for at virkelig-gøre et sådant *Gesamtkunstverk* med udsmykning af hele gader og i processen hermed forlene den lettiske nationalitets-bevægelse med en vis respek-tabilitet – udatil som indadtil (kilde: Silvija Grosa *Art Nouveauin Riga*). *Art Nouveau*-bevægelsen var international og by-baserede, og var und-fanget dels som en reaktion mod det 19. århundredes histori-cisme og Ecclectisme dels som udtryk for ønsket om politisk enhed og solidaritet i Europa med udgangspunkt i politisk reform af Habsburgerriget. *Art Nouveau*-bevægelsen havde imidlertid trange kår i *Kakanien*. Den blev da modtaget i den ånd, den blev praktiseret på i sit hjemland, altimensRiga kom til at fungere som Ruslands vindue mod Europa.

I Barcelona til gengæld berigede og udviklede Gaudi *Art Nouveau*-stilen i et fremragende kreativt formsprog, der kombinerede strukturel effektivitet og kompressionsarkitektur med moderne bære-dygtigt kromatisk arkitektur, hvormed han formåede at syntetisere subjektive og objektive discipli-ner,

materialitet og spiritualitet, rationalisme og følelser i et værk –
hans ufærdige katedral står som et symbol på håbet om
Europas politiske forening. Sammen med Pablo Picasso, Joan
Miró, Salva-dor Dalí og Tapies fornyede de den europæiske
modernisme med udgangspunkt i maleri, skulptur, grafisk
kunst og arkitektur og sidenhen som en by-centreret
civilisation, der orienterede sig mod Paris i konkurrence med
Madrid, der fortsat drog inspiration fra Italien. *Kritisk
paranoia* kalder Dali sin metode. Det syntes mange, at de ville
holde sig for gode til, sådan at begrave æstetikken i
underbevidstheden. Ikke desto mindre var forestillingen om, at
mennesket ikke alene var et rationelt menneske ikke ny. Senest
havde Schopenhauer fremsat den tese, at det underbevidste står
centralt for menneskelige handlen og tænken, ja at fuldt
bevidste er mennesket handlingslammet. Nietzsche og Freud
bidrog til at videreudvikle teorier om det ubevidste, som
surrealismen trak på i deres surrealistiske forestillingsunivers.

Parrallelt hermed opstår nye kunstbevæg-elser efterhånden i
Europa, les *Fauves* grundlagt i Paris omfatter malere som An-

dré Derain, Roaul Dufy, Vlamnick & Hen-ri Matisse og *Brücke*-malerne, stiftet i Berlin-Dredsen i 1905 af Ernst Ludwig Kirchner & Emil Nolde danner begge over-gang mellem post-impressionisterne og ekspressionisterne, der søger en farve-mæssig ekstase og overfladisk udtryksfuldhed som kreativt udtryksmiddel. Der er for så vidt tale om en fusionskunst mellem symbolisme, realisme og fauvisme. Emil Nolde (th), en kunstnersindet vandrings-mand, slog sig ned i Seebüll blandt diger, marsk og hav for at udtrykke sig malerisk om det nære og det fjerne, sin hjemstavn og Sydhavet i sin søgen efter ekspressiv gengivelse af men-neskelig eksaltation på den mest tyske måde – ofte med danske motiver. Kirchner opfattede Picasso som en konkurrent, og nazisterne ekspressionisterne som degenererede. Herfra kom ekspressionis-men så til Wien: *"I used to be too subjective, and I was always tempted to find my inner self in the exterior and dissipate my imagination on other people and on life"*, sagde Oskar Kokoschka. Ideen var med andre ord at udtrykke det indre ved at koncentrere sig om skildring af det ydre: Alfred Loos havde ret i at karakterisere ornamenteringen som dekadent i sin epoke, og hans anglofile kunst- og samfundskritik er med til at forlene ham med en afklarethed, som Kokoscha tydeligt sonderer i sit portræt fra 1907 (tv). Det sker ved at introducere en dissonans mellem den menneskelige figur og formen, linen og farverne, hvorved Loos' indre liv og hans kunstneriske statement bliver fremhæ-vet, som omkranset af efemæriske væsener/nøgne indfarvede muskler på den ene side og på den anden side af mennesker uden ansigter. Farven stoppede dermed at iklæde formen, og blev et bæ-rende element i maler-kunstens fremstilling. I en anden ekspressionist-bevægelse *Der Blaue Reiter* fandt man efterhånden, at problemet 'var at verdensbilledet var præget af en inderliggørelse af my-tiske konstruktioner: Alt materielt og sensuelt, såvel den flygtige impressionisme som Jugend-stilens skønheder måtte overvindes (Marc). Dette skulle foregå i skærings-punktet mellem den store abstraktion og realismen, mente Kandinsky. Heri var Kandinsky hjulpet af den kunstneriske op-brudsstemning i Rusland og sin smag for bevidst disharmoniske kompositionsprincipper til om-strukturering af billedfladen.

Kubismen tager udgangspunkt i fraktionisme og anvendelsen af penslen i klynger i små sorte linier. Albert Gleizes, Juan Gris og George Braque (th) maler alle i denne tradition. Bracque maler også collager og deler denne interesse med Picasso, som dog skifter brugen af trætapet ud med aviser i sine papmacheer. Denne måde at se bort fra almindelige kompositioner og samle forskelligartede dele til et nyt hele indenfor et givent rum kunne Pi-casso gøre brug af, mens han var isoleret i Cadaques(Dali's fødeby), hvor han begyndte at male sine første 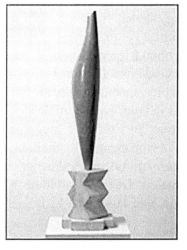 kubistiske malerier. Picasso indså med si-ne kubistiske afbildninger, at han nu beherskede den fraktionelle form, idet de planiske strukturer begyndte at tjene et strukturelt formål. Denne idé forekom ham dog ikke som noget ubetinget positivt. Man forbløffedes dog overalt, hvor de kubistiske billeder blev udstillet. Indenfor skulpturens verdens udfoldede Rodin og Brancusi sig med kvintessentielle arbejder.

Matisse drager ved lære af Impressionisterne og sætter figur og rum i indbyrdes kontakt med farver i sine stem-ningsfyldte skildringer af kvindelige figurer i rigt orna-menteret indendørsrum. Hans tableauer modsvarer en fornyet interesse i de formelle aspekter af det europæiske maleri og den måde, som han søger at bringe linie og farve i overensstemmelse med sit malervirke i skæringspunktet mellem impressionisme og moderne konstruktionsmetoder, er med til at definere det moderne maleri. Det sker i dialog og konkurrence med Picasso, som på sin side tager afsæt i kubismen, keramik og et mere subjektivt form-sprog. I maleriet *Musiktimen* bringer Matisse læse-temaet og maleriet sammen i en gensidigt forstærkende harmoni. Den måde som Matisse søger at inderliggøre den ydre verden på, afspejler et ønske om at varetage verden som andet og mere end blot et forudsigeligt agregat af natur, liv og historie på den ene side, og på den anden fungerer hans motiver som metafor på et verdensbillede, der både er trygt og andenverdsligt, borgerligt og udtrykker solidaritet mellem generationerne. Ma-tisse forstod at skabe en rummæsig dybde uden fikserings-punkt gennem sine maleriske virkemid-ler, således at blikket vandrer rundt i maleriet: papirsklip, ikoner og masker var hans inspirations-kilder. Det er måske ikke så banebrydende i sit formsprog, men som sådan udtrykker Matisse med *Musiktimen* sin opfattelse af maleriet som en komposition af dekorative elementer, der hver især spiller en rolle, som maleren råder over til at udtrykke sine tanker og følelser. Og den, der lever i en bog, er også noget ved musikken.

Picassos bidrag til det europæiske maleri var for så vidt reduktionis-tisk, idet den geometriske opdeling sammensmelter hos ham med den figurative afbilledning, og lige så dissocierer han masse og volumen på en måde, der overflødiggører fordelingen af lys og skygge i maleriet. Facetterne og planerne i maleriet bliver i den forstand instrumentali-seret på den mest usolide facon, samtidigt med at den skaber dybde i maleriet. Eller beevægelse. At anvende farve til at fremstille rum og volumen på den måde reducerede samtidigt farvespektret. Picasso var overbevist om, at han havde nået en blindgyde, mens Kahnweiler, hans gallerist, mente, at han havde gennemboret *den lukkede form* engang for alle. For Picasso var hans kubistiske malerierformende for hans gennembrud som kunstner og fremvæksten af hans elskede subjektive figur-galleri: nøgne kvinder, fauner og musketerer. Alle andre forstod imidlertid, at hans dobbelte bedrift bestod dels i et opgør med gengivel-sen af virkeligheden dels i relativeringen af objektets stilling i det europæiske maleris historie. Af indlysende grunde var de franske myndigheder rasende over *Le Bluff Cubiste* , og tøvede ikke med at bortauktionere Kahnweilers samling, opbevaret med aldrig udstillet i Paris, engang I. Verdens-krig brød ud i 1914. Denne samling befinder sig nu i det store og hele på *Museum of Modern Art* i New York. Kubismen giver den afgørende anstødssten til både futuristerne og konstruktivismen. Futuristerne er en italiensk-russisk kunstgruppe, som eksalterede forandringerne i industrisamfund-et og kombinerede afbilledningen af symboler på industrialiseringen med kubisternes nedbrydning af objekterne og afstandtagen fra ekspressionisternes farveglæde i maleriske kompositioner, der bærer præg af både en frenetisk og lige så skematisk tilgang – også en tingenes essens.

Af ruinerne af *Art Nouveau* blev Bauhaus-bevægelsen snart grundlagt i 1919 i Weimar-Berlin af Walter Gropius, som både en kunstnerisk og bredt folkeligt forankret bevægelse, der skulle virke-liggøre og udvide Otto Wagners vision om *Gesamtkunstwerk* med visioner og produktioner inden-for industriel design, møbler, arkitektur, grafik, arkitektur, fotografi, tekstiler, keramik, teater, kostumedesign, film, dans og skulptur. Dette modsvarer et ønske om æstetisering af hverdagen.

Bauhaus forudskikker i den forstand en international kunst-bevægelse med akse i fransk-tysk for-soning og venskab (Kilde: *Das Universum Paul Klee*). Det er imidlertid det systematiske tværfag-lige samarbejde mellem arkitekter, designere og kunstnere, som undervisningen lagde op til, som skulle blive Bauhaus kendemærke. Kandinsky underviser på skolen fra 1922-1933, hvor skolen en-degyldigt bliver lukket ned af nazisterne. En af Bauhaus-skolens vigtigste maler-teoretikere schwei-zeren Paul Klee tog initiativ til at formulere en kunstteori *Úber die Moderne Kunst* (1924) om det moderne maleri: Hvad er det moderne maleris funktion ? Hvilken forbindelse er der mellem musik-ken, poesien, matematikken og biologien ? Hvad er liniens magt, rummet, former, farven og hvor-dan udtrykker den vor bevidsthed om os selv og universet ? Ved at stille disse spørgsmål varetog Paul Klee både arven fra *Art Nouveau*-bevægelsen og indskrev sig i en tradition for både en inter-disciplinær og multi-kunstnerisk tilgang til den kreative proces med afsæt i kosmisk solidaritet og brugen af jordfarver. Paul Klees teoretiseren gjorde ham snart til et omdrejningspunkt på Bauhaus-skolen, hvor man satte mennesket i centrum og udvikler en egen farvelære. Sådan er vejen til me-ning altid en nødvendig forudsætning for kunsten, og alligevel aldrig tilstrækkelig for beskueren, som ser et nyt maleri, uden at have studeret forbindelsen mellem materielle steder og steder uden bevidsthed på den ene side, på den anden side farvens rytme og primitivismen i sin søgen efter en ny klassicisme.

Dermed leverede han afgørende byggeklodser til fornyelsen af det moderne maleri, som vi kender det i dag: *Uns trängt kein Volk*, men vi tager udgangspunkt heri erklærede Paul Klee i Jena. Udgangspunktet for *Fiskerusen* (1925), et olie-og akvarelmaleri malet med tusch på karton med kilerammer, er menneskets rejse mod solen - ratio - i øvre venstre hjørne, fortalt i form af en *simile* mellem dyreriget og menneskeriget. Sort er handlingens farve, mens hvid er tilstedeværet og tilstandens farve. Det er mennesket som er i cen-trum, en menneskehed som bevæger sig fra daggrynet rundt-om planten formet som en melanesisk åre – konkurrencen mellem F og D – og busken – de ti bud – altså bruger sit kultur grundlag, før det i cirkulære bevægelser og som led i en inklusiv proces omfattende narrehatte og stillingtagen til havets ressourcer atter når i mål med erkendelsen om, at mennesket er altings mål, det kildevæld, som får os til at handle og til at gro i et fællesskab ikke ulig fiskenes og i en ånd af enhed i dobbeltheden, dobbeltheden i enheden: *Dyr og mennesker ånder sammen* , hedder det i Bibelen. I betragterens øjne er dette varetaget i form af den energi, der er i billedet: Bevægelsen mod forløsningen sigter på den vis på at integrere diagonalt og i en omsiggribende kromatisk etik.

Tilsvarende er det Bauhaus-skolens forestilling om kunst og design som en industriel maskine, at funktionalismen trækker på i sine ambitioner om minimalistisk møbelkunst. En anden Bauhäusler, Herbert Bayer, der underviste i typologi, reklame og visuel kommunikation, udvikler reklame-arki-tektur, en hybrid mellem arkitektur og grafik, undfanget med afsæt i de Stijl, Dada og russisk kon-struktivisme. Disse sketches kombinerer således verbale og visuelle elementer med et abstrakt in-dustrielt formsprog i en transformativ og dynamisk interaktion med forbrugeren (Kilde: Bauhaus – Workshops for Modernity: 1919-1933). Var det erotiske blot en reklamesøjle ? Kunsten en for-brugsvare ?

Det tidlige moderne europæiske maleris historie er knyttet til opgøret med det lineære perspektiv som primær ramme for dannelsen af illusionen på lærredet. Impressionisterne er en international kunstnergruppe, som undfanger nogle af de vigtigste malere indenfor europæisk maleri, og som befordrer dannelsen af både andre internationale kunstnergrupper og egentlige kunstneriske bevæg-elser, som fortsætter opgøret med renæssancens og barokkens æstetiske univers, som romantikken startede. *Storia* varetages som visuel praksis efterhånden af biografen og af medierne. Perspektivet relativeres. Portrættet opløses enten i farver eller fragmenter. *Impressionisterne, Art Nouveau, Bau-haus og De Abstrakte* udgør tilsammen en linse, igennem hvilke de moderne og de tidssvarende kunstnere danner et kaleidoskop. Et menneske som ikke kender dem, kender ikke den moderne kunsts forudsætninger og dermed sin samtid. Skønt maleriet udfylder en vigtig rolle igennem den europæiske civilisations nyere historie, er landvindingerne nu få. Europa viser i stedet sit vilde ansigt, mens maleriet kroner sin karriere og slutter med at forny som andet end en iscenesættelse af sandheden, en opfundet smag og en lærd æstetik. Intet kan dog gengive disse malerier: man skal have set dem. Oplysning, Videnskab, Nåde og Kærlighed til Kunsten forbliver da de fire elementer, vi hilser på med et: Ai-Ai!

I dette kapitel skal vi kigge nærmere på følgende kunstnere: Pablo Picasso, Edward Manet, Claude Monet, Paul Cezanne samt Marc Chagall.

PICASSO

Guernica, Oliemaleri, 349x749 (1937) , Museo Reina Sofia, Madrid.

Pablo Ruíz Picasso, den spanske malermester og kommunist skildrer i måske det sidste store storia-maleri, borgerkrigens gruopvækkende rædsler i det berømmelige maleri: Guernica.

I Maleriet, der er lavet til den spanske pavillion ved verdensudstillingen i Paris i 1937, bliver virk-ningerne skildret af det tyske bombardement af bombningen den baskiske landsby, Gernika, som tyskerne bombede den 26. april 1937 for at komme Franco til undsætning. Gernika var dengang højborg for republikanerne, socialister og anarkister, der lå i borgerkrig med borgerskabet, Opus Dei og fascisterne.

Guernica afbilleder folk, der springer for livet, bygningerne, skudt i stumper og stykker. Til venstre i tableauet ser vi en kvinde, der græder over sit døde barn, mes oksen ser afmægtig ud mod os med krudtild i sin hale. Til højre for okse ser vi en vingeskudt due ved en ridse i væggen. Hesten vrider sig i smerte, mens en okse borer sine horn ind i dens bug. Dens er sammenfaldende med hestens højre forben. Det er nærmest, som afgiver den et vrinsk fra sig – heste døde der flere af end mennesker under 1. Verdenskrig. Under dyrerne ligger der en mand med en brudt klinge i sin hånd, stigma i venstre hånd og en blomst i højre hånd. En arm holder en kandelabber, mens et hoved skuer udad husets vindue mod os henimod begivenhederne og udad mod beskueren. Maleriet er ikke malet igennem dette vindue. En opadstræbende kvinde betragter sceneriet. Helt til højre i maleriet ser vi en mand, der skriger vertikalt til himmelen, hvor der befinder sig en rektangulær kasse – en til inter-piktoral reference til Da Vinci og velsagtens tillige Velazques – nedenfor hvilken et menneske skriger i et hus, der står i brand.

Gernika udmærker sig ved at bestå af en sekvens af firesektioner af grå, sort-hvid og lysseblå nuancer, der kontraster hinanden, undfanget i skæringspunktet mellem kubisme og non-figurativ kunst i et malerisk rum af gemetrisk, forvrænget strukturer defineret ved blødt og skarpt optrukne linier sat sammen af volumen og flader. Linierne indgår i denne maleriske kompsotiion integralt, og lige så finder brug af avis-materiale sted. Der er en dør til højre i malerieriet, en væg til venstre.

Maleriet er bygget op omkring en komposition af tre trekanter på langs og på tværs. Der er anvendt cirkelkompositioner omkring midten af maleriet ved hesten. Maleriet gennemgik adskillige revisioner, og Picassos daværende samlever Dora Maar har optaget disse versioner, hvor opbygningen af maleriet kan følges. Guernica antages således at være næret af kompositoriske ambitioner i kunsterisk henseende.

Maleriet skal læses fra venstre mod højre. Til højre i baggrunden af maleriet findes en retangulær kasse, der er en hint til beskueren om at betragte bruden af dels position dels struktur som middel til gengive bevægelse, sammenlignelig med de spanske maleres forsøg på at male tingene, som de ser ud efter deres væsen, og som de ser ud til at være.

Picasssos rumloige fornemmelser er tæt knyttet til hans ønsker om et spatialt tvetydigt overflade-mønster, der antageligt er af arkaisk-iberisk oprindelse, og som sigter på at omvalse planerne i sektioner som moddel til at gengive rumlig illusion, idet der finder en modsatrettede opstilling sted af profil pog fromtelt perspektiv sted. Dette sidste greb modsvarer en videreudvikling af Picassos intereesse for arkaiske statuer og afrikanske masker, anført af hans studer af *Les demoiselle D'Avig-no*n, hvorfra ideen kom til ham at fokusere på massen i figuren og til at forlene figuren med bevægelse som led i en naturalistisk gengivelse.

Perspektivet i maleriet kan anskues oppefra eller nedefra. Luftperspektivet er dermed suspenderet, og i stedet flyder objekter og rummet ind i hinanden for at danne en helphed. Hvor rembraandt nærmest inviterer os til at placere os i skyggen og nære os af sort-hvide kontraster for at frigøre sig fra skyggens mysterium, overflødiggøreer Picasso lys- og skyggevirkningerne helt ved at dissociere massen fra volumen.

Det ville således være vanskeligt at hævde, at lysvirkninger indgår med stor vægt i Guernica, og dog så indeholder maleriet to lyskilder: den ene en takket solloftspære og den anden en kandelaber nedenfor, der bliver holdt ud i udstrakt hånd, som om personen netopd har været på vej ned af trappen af det væltet hus af den person, som er ses på vej ud af dets vindue. Dette modstrykke mellem en ældre og nyere lyskilde har dog ikke nogen nærmere lyskildemæssig virkning i maleriet, og tjeneer antageligt til at underbygge fortællingen i maleriet, at der er tale om en konflikt mellem det gamle og det nye som årsag til borgerkrigen i Spanien, dvs en manglende evne til at skelne mellem Europa og Spanien, og til at forny sig selv. Der er formentligt samtidigt tale om en slags afstandtagen fra dem, som ønsker at projicerre sig i lyset såsom Royusdal eller skabe kunst ved hjælp heraf: filmkunsten. Takkerne kunne angive læseretningen i malerieriet. Det er endeligt vanskeligt at undgå at assosicere lansen i hesten som andet, end et savn efter Spaniens jord og sydens sol, dens stråler: Minotauromachaet.

Gottlieb (1958) har fuldstændig ret i, at Guernica på mange måder kan læses som et studie i bevægelse i maleriet. Den forvrænget kontinuitet af billeder tjener således til at trække fortællingen ud på en måde, så at figurerne fremstår som om de indgår i en samtidig sekvens af successive positioner i rummet, som vi kender det i virkeligheden. Dette er balanceret strukturelt af det kantede hus med tag på, der er med til at binde de i alt fire sekvenser, som maleriet består af, sammen, så at maleriet fremstår som en piktoral helhed.

Udsmykningsopgaven bliver i den forstand løst ved at lade komposition og bevægelse, figurer og dyr, mænd og kvinder, dyr og mennesker udfolde sig som udtryk for de metamorfose, som krig pånøder mennesket.

Formålet hermed kunne være at dels at bibringe verden et *Make Love, Not War* dels at manipulerre med den rumlige opfattelse ved at fifle med overfladen, der er indelt i sektioner i stedet for adskilt af forskellige planer, som maleren hidtil har arbejdet med i perspektivet. Der er samtidigt tale om et piktoralt virkemiddel, der inviterer det trænet øje til at tolke maleriet på flere måder. Og i et vist omfang må man sige, at det lykkedes at holde Spanien ude af de værste krigshandlinger, ja helt ude af Europa.

For maleriet er holdt i grå-sorte og blå farver og gør brug af collage-teknik navnlig på hesten, der skulle være lavet af nogle gamle aviser, hvori Picasso læste om borgerkrigen, læsningen af hvilken tydeligvis gjorde ham ulykkelig. Anvendelsenaf sort, der har en sammentrækkende virkning, lader sig tilsvarende forene med Picassos kompositoriske ambitioner om at sammensmelte planerne ved inddele flden i sektioner. Anvendenlsen af en brækket lysseblå er tilsvarende udtryk for nostalgi og stor jordbundethed, kongenialt med Minotauromachiaets funktion i den spanske kultur, og på den vis en beskrivelse af krigsmaskinens rædsler, der afstemmer budskabet med valget af farver, og dermed forbinder fortid-fremtid i kunstnerens værk med hans politiske engagement og de multiple perspektiviske linier, som udgår fra oksen. Manglende baggrund i maleriet skaber samtidigt et *media res* for beskueren.

Det tog Picasso tre uger at lave Guernica i maj-juni 1937, så at det kunne blive klart til verdens-udstillingen i Paris i juni, hvis tema var fremskridt of fred i verden. Picasso malerre Guernica i sit studio, beliggende 7, rue des Grands-Augustins i samme gade hvor Balzac skrev sit novelle le *Chef d'Oeuvre* om en gal kunster, hvis malerier åbenbarer sig som et virvar af linier. Picasso havde samtidigt sit besvær udi det private: Dora, og Marie-Therese og Olga krævede alle sit, og på samme tid.

Fortolkning

Med guernica fastholder Picasso levnedsskildringen som primært motiv i sit oevre. Der er samtidigt tale om en appel om at komme den ukristelige uorden ved borgerkrig til livs. I hans maleriske virke er der vel snarest tale om et throw-back for så vidt brugen af vollega-teknikker fastholder hans forkærlighed for det naturqaalistiske og menneskerlige, fastlagt allerede

200

Picassos kubistiske periode. Da Picasso fik udsmykningsopgaven var han endnu en del af det ofiicielle Spanien som kunsternerisk leder-i-eksil for den kunsteriske skole i Madrid, og havde derfor en forpligtelse til at formidle og kommuniere og appele til fred og forståelse, handling og moderation.

Guarnica kan da tolkes som en opfordring til en relfkesionspause i anledning af tredjeparts-interventionen i den spanske borgerkrig om ikek at blive rodet ind i en europæisk storkrig, dvs at anvende den visigothiske kindhest i neutral henseende: at udnytte udgangen til højre og afvente situationen nærmere i Europa. Heri lykkedes Picasso i sin mission. Det var såmænd ikke kåren, oksen skulle falde ind over. For Franco er Franco, og Picasso og Picasso.

Picasso skulle sidenhen blive medlem af det stærke franske kommunistparti, altimens han var aktiv i fredsbevægelsen. Dette forhindrede ham imidlertid ikke i gengive en fragmenteret version af Storia-maleriet og til fortsat syntese af kubistiske elementer, kompositoriske ambitioner og figurativ eksperimenteren og dermed give frit los til hans talenter som kunsterne og som kolorist, og på den vis på subtil vis teste reaktionen af de enkle materialevalg på de sort-hvide nuancer og lysseblå nuancer, han tager i anvendelse. Meningen med maleriet overlader han velsagtens til den enkelte beskuer, men selv Picasso erkender at han som led i arbejdsprocessens skildringer nået frem til konklusioner.

Maleriet kom aldrig til at hænge på sin tiltænkte plads, altimens Picasso forblev i sit franske eksil, indtil sin død i 1973 to år før Franco stillede træskoene, dog således at det i 1981 kom op at hænge i Madrid. Picasso var gift i alt fire gange, og *Guernica* kan synes på vanlig vis i hans oevure som et middel til at kombinere forskellige dynamiske elementer som led i en historisk refleksion, der reagerer på begivenhederne, omstændighederne i hans privatliv, hans relationer med andre kunst-nere, kærlighed til livet, bevidsthed om tidens gang og hans egen aldring, samtidigt med at den appellerer til beskueren om at hæve sig udover bombningens øjeblikkelige gru, uden at han ville opgive sine synspunkter: eksilets pris.

Der er tilsvarende noget tvetydigt over maleriet; noget som om krigens ambivalente natur som skaber og ødelægger af nye verdener

Menneskets

Maleriets

Spaniens.

MANET

Edouard Manet – Berthe Morisot (1872) , 55x41, Musee d'Orsay

Dette fascinerende portræt af Edouard Manet forestiller: Berthe Morisot.

Edouard Manet (1832-1883) er en af de vigtigste franske malere, og står som et bindeled mellem rea-lismen og impressionismen og kom hurtig til at provokere sin samtid ved valget af sine motiver og malerier, der snart oplevedes som uanstændige snart dristige. Manet vakte skandale, uanset hvor han kom frem: *Frokosten i Det Grønne* (1863), *Olimpia* (1865) og *Nedskydningen af Kejser Maximillian* (1868) er alle mesterværker fra hans hånd.

I sin skildring af sin kommende svigerinde, der giftede sig med broderen Eugéne Manet i 1875, ser vi en kvinde iført sort dragt med skaft og hat med tyl og åben chemise med kniplinger; hun bisidder stor sensualitet, et ekspressivt udtryk, en selvsikker charme. Tåredrøblen er skildret navnligt i hendes højre side og flugter med næsebenet, mens ven-stre øjenbryn er skildret mere præcist end det højre. Dette synes balanceret med et mandhaftigt fipskægagtig gevækst ved hendes trutmund. Den konventionelle brug af arken til at definere øjen-hulen, sjælens hjem, synes dermed svækket.

Dette greb fokuserer imidlertid blikket mod de øvrige ansigtstræk og dejlige øjenbryn i almindelig-hed samt håret & hatten, som hun ved hvordan hun skal sætte: nedad. Hendes ansigtsudtryk synes her-efter let fortvivlet. Og dog også et afrundet portræt, der i det to-dimensionelle lys- og skygge-spil mellem for-og baggrund er med til at fokusere portrætteringen omkring det feminine. Øjenbrynene er sanseligt skildret, halvt dækket af håret, næsen er net og fin, munden er defineret som en sensuel trutmund øjenlågene er malet ganske små, rynker i den ovale pandehule er blot antydet, mens kinderne er malet med rouge. Det er en farve, der som bekendt er med til at holde verden sammen: kvindens verden, hendes sanser. Det psykologiske udtryk: En lille og ferm *Indispensable*.

Detaljerigdommen er navnligt koncentreret omkring skildringen af dragten, hatten og håret. Kniplingerne er faktisk en lilla violet, en komplementærfarve, der er balanceret af den olivengrønne indfarvning af Morisot bare hud. Og der er tale om en attribut. Det er hende, som foranledigede Manet og Impressionisterne til at male *plein-air*-landskaber, og Manet, som foreslog, at kunstner-gruppen kaldte sig Violetten. Pissaro, Monet, Degas og Renoir mente i stedet, at *Societé Anonyme*var et bedre navn. En kunstkritiker betegnede imidlertid gruppen som impressionisterne, hvilket var nedladende ment overfor kunstnergruppens forsøg på at varetage det flygtige, det momentane, men navnet holdt ved. Det, som impressionisterne faktisk ændrede på var arbejdsprocessen og pensel-føringen, som foregik med flad pensel, lavet af svin, som tillod at tilnærme sig et klassisk udtryk, der indfangede beskuerens interesse for øjebliksindtrykket dels for den erfaring, der medgik i skildringen. Ved at iagttage maleriet fra forskellige leder og kanter, i en ånd af demokratisk fornyelse og moderne selv-iscenesættelse og ligestilling i deres skildringer af hverdagsliv og landskabelige motiver, som kunstnergrupper fandt i steder som Argenteuil, Oise-sur-Seine, var i det i den forstand impressionisternes opgave at skabe noget vedvarende nyt. Den ægte sol, diffus lys og *plein air*-landskaber udgjorde den treenighed, som gjorde det muligt at skildre folks karakter og de moderne ting i kombination med den flade pensel og malertubens opfindelse udgør således den struktur, som Morisot-maleriet er placeret. Det er i den forstand ukorrekt at hævde, at Manet ud-gjorde en overgangsfigur mellem realismen og impressionismen, om noget sikrede han, at impres-sionismen netop forblev realistisk. Til gengæld bidrager impressionisterne med dens perceptions-psykologi og succes med at hælde gammel vin på ny flaske til at rejse spørgsmålet, hvad det næste skridt i udviklingen af det europæiske maleri skulle være i formmæssig henseende, nemlig non-objektiv og non-figurativ kunst, engang ekspressionisterne havde videreudviklet det europæiske maleri i farvemæssig henseende.

Rummet er to-dimensionelt fordelt mellem forgrund og baggrund, der er malet Turnersk hvid, altså påført et glaserende lag maling, der så at sige vender Turners scumblings-teknik på vrangen. Poin-ten hermed er at skabe rummæssig dybde i maleriet og indikerer, at den portrætterede nu skildres *udefra-ind*, dvs maleren skildrer ikke længere skildrer menneskets indre som udtrykt i det ydre, men anvender ydre træk til at skildre personen. Måske prøver Manet tillige subtilt at tage afstand fra Napoleon den III's politikker som en nationalisme vendt på vrangen ? Det er sagt, at Manets kon-centration samtidigt er forstyrret af et ukorrekt forhold til sin svigerinde. Måske faldt tapeterne ligefrem ned fra væggen, når Manet fantaserede om sin svigerinde. Dette kan ikke udelukkes. Det er imidlertid mere sandsynligt, at skildringen af pandehulen og den portrætteredes udfyldning af lærredet signalerer, at

Morisots betydning for impressionisterne i i almindelighed og for Manet i særde-leshed er omvendt proportional med hendes samfundsmæssige status som maler. Komplementær-farven lilla indgår således i baggrundens dybt sanselige tapet, og lige så i den grå farve ved che-misen. Den rummæssig dybde er således skabt atmosfærisk i maleriet.

Der er en lysstråle fra højre, og skygge på Morisots venstre kind. Formålet hermed er da snart at balancere Manets fornyelse i skildringen af øjenpartiet snart at sætte poseringen i relief snart at fremhæve opmalingen snart at gengive den portrætterede som et væsen, der gør tingene op efter devisen på den ene side, på den anden side. Opmalingen af hatten er der blevet rettet i foroven, og dette flugter med den grå chemise, og bidrager til den flygtige kvalitet af beskrivelsen af Morisot og hendes væsen som kvinde. Udviskningen virker tillige kontrasterende og nærmest translucent?

Der er tale om en klassisk tre-kvart synsbuste. Det højre svaj er oblikt i kvinde-portrætter siden Renæssancen, mens hænderne slet ikke bliver vist i Morisot-portrættet. Portrættet er til gengæld malet *en face* , og højre skulder er alene let foran drejet, let tilbagelænet. Denne positur har været med til at definere det moderne portræt-fotografi.

Brugen af rammen i guld med takker indrammer på smukkeste vis portrættet og dets opfindsomme virkemidler og er med til at placere Morisot i rummet. Denne brug af rammen er konventionel *vis-a-vis* Morisots tvivl om det at mangle opmærksomhed, mens naturen af skildringen af den portrætteredes træk og vægtningen af portrættets forskellige elementer som balanceret af beskrivelsen af ansigtets forskellige dele, er både indlevende og ny. Der er antageligt tale om en refokusering af skildringen af ansigtstrækkene på bekostning af de fysionomiske træk, således at fokus nu er på skildringen af kvinden som et helstøbt menneske.heri er maleriet "moderne", modernistisk.

Det kan ikke understreges kraftigt nok den rolle, farver spiller i portrættet. Monets barm er malet olivengrøn, og synes at associere portrættet med barokken, dvs. dels at karakterisere hende som en usleben perle dels at skabe dybde i maleriet i forhold til kontrastfarverne lilla-grøn, og anvendelsen af kontrastfarverne sort-hvid. Både farven brun og grøn er hentet fra landskabsmaleriet, hvor kon-trasten herimellem er med til at skabe både dybde og atmosfærisk perspektiv. Til højre sideværts ses brune flæser, der går i spænd dels med hendes hår dels hendes barm, skildret i grøn, hvilket som farvemæssigt virkemiddel er med til at skabe dybde i maleriet, men samtidigt også at skildre den portrætterede, som en værdsat muse, kommende svigerinde, og som kvinde der er sin rolle bevidst som sex-objekt med flæser i. Den bare hud fader ud mod den beige-grå chemise og den sorte dragt, altimens nuancer af blå indgår i venstre baggrund. Mørkegrå bliver grå som bekendt ved at blande rød med sort-hvid, og dette farvemæssige virkemiddel binder således kompositionen sammen, og sender et kys ud til verden. De sort-hvide farver bidrager i den forstand både til at stimulere op-fattelsen af kvinden som et fleksibelt væsen, til at skabe kontrast samt dybde indenfor denne to-dimensionelle rumopfattelse. Dette er også nyt. For før blev kontrasten mellem sort-hvid anvendt nærmest uden virkninger, som neutrale farver, mens Manet associerer den med fornyelsen af portrættet og med kvindens behov for plads til at udfolde sig. Hun havde talent, Morisot. Og Manet lægger ikke skjul på den inspiration, som hun udgjorde for impressionisterne og for ham selv.

Manet balancerer på den måde kompositionen, og søger samtidigt at sætte sit bidrag til fornyelsen af malerkunsten i relief. Han anerkender dermed betydningen af kvinden, og fornyer brugen af sort-hvid som andet end neutrale farver. Denne impressionistiske struktur definerer Morisot-portrættet: Manet forener og udvikler samtidigt det realistiske repertoire: hjemlige indre rum, hverdagsskil-dringer, picnics, promenerende elskende og høstbilleder og lystigheder. Hans emnevalg var altså radikalt realistiske, mens hans maleriske teknikker og strategier efterhånden associerer ham nok så meget med impressionisterne. Nye kompositioner til nye emner eller en sammenstilling mellem det traditionelle og tidssvarende, lænende sig op af de gamle mestre, altimens man allerede af nød fandt sine motiver i hverdagsskildringer. Heri adskilte Manet sig så fra impressionisterne, der navnligt lod sig inspirere af Sydfrankrigs sol i deres farveglæde: *Je suis hanté. L'Azur! L'Azur, l'Azur, l'Azur!* (Mallarmé)

Edouard Manet kom fra et høj-borgerligt hjem og etablerede sig efterhånden som en af de ledende kunstnere blandt de tidligt moderne malere. Han besøgte jævnligt Louvre for at imitere de store kunstnere. Manet modtog træning af Gustave Courbet, der bibringer ham en fin observationsevne forenet med en dyb interesse for formen og farveglæde på bekostning af subjektet , mens Thomas Couture introducerer den kvindelige figur og krop med selvstændig udtrykskraft og autonom værdi i det europæiske maleri - *La Reverie*. Under sine kunstrejser drog han navnligt inspiration fra Frans Hals (Harlem), Diego Velazques og Francisco Goya, der inspirerede Manet med sine varme farve-toner. Manet giftede sig allerede i 1863 med hollænderen Suzanne Leenhoff.

Er der med portrættet tale om en repræsentation af malerens følelser som formidlet af begær og kunstnerisk rivalisering overfor sin kommende svigerinde?

I henhold til Kesslerpasser Manet hverken ind i borgerlig respektabilitet og forventningerne til pik-toral fornyelse, ja er grænseoverskridende både i forhold til hvad der er passende og det repræsen-tative. Hun interesserer sig for det indbyrdes forhold mellem svigerinden og kollegaen, og hvordan 1872-maleriet udgør en kulmination på Manets i alt elleve Morisot-portrætter: Bred penselføring, varierede teksturer, slående asymmetrier og visse frygtsomme objekter afslører, at Manet begærede sin svigerinde, altimens Manet i sit valg af fetischer skildrer hende med en type af forskydninger og modsatrettede impulser af freudiansk proveniens, som tjener til at invadere hendes *space*. (Kilde: Marni R. Kessler Unmsking Manet's Morisot). Sikke noget vås! Manet havde nogle sunde værdier – soberhed og oprigtighed, integritet og ordentlighed - men han kunne også lide at pirke til folk og at tømre træagtige ting, og det gik også udover hans svigerinde, som ikke var mere frigjort og støttet i sit professionelle virke, end han var fuldkommen som maler og menneske. Han lærer efterhånden at beherske formen, og dette sker i selskab med kvinder, herunder hans svigerinde. Deres forhold var som alle andre svoger-svigerinde-forhold præget af bånd & bindninger. Det lægger Manet så sandelig heller ikke skjul på i sin skildring af Berthe Morisot, hvis finurlige portræt gik hen og blev de tidligt modernes mere indflydelsesrige.

Vi kommer nu til Manets kunstopfattelse, og foreslår sammen med Leah Rosenblatt Lehmbeck, at man betragter Manet placeret i skæringspunktet mellem realisme og impressionis-men. Rosenblatt Lehmbeck forankrer Manet i den spansk-hollandske malertradition, ud af hvilken Manet udvikler sin egen stil som kvindemaler, som figurativ maler og som por-trætist, som hun definerer som en traditionel konstruerede pose-ren. Hun undrer sig imidlertid over, at der er så mange kvinde-portrætter i Manets *ouevre* fra skildringen af *demi-monde*-kvin-der over pasteller til skildringen af kvindelige udøvende kunst-nere. Hendes pointe er, at portrættet i høj grad tillod Manet at forholde sig kunstnerisk tilomverden og til sin egen subjektivi-tet. Manets malerier udfolder sigi den forstand mellem Gustave Courbet (tv), hans mentor, og dennes dualistiske realisme, der på den ene side kombinerer kunstens sociale funktion– 1848-revoluionen – med engagementet i politiske spørgsmål med fin observation og god farvesmag i sine realisiske skildringer af hverdags-livet, og på den anden side generaliserer Courbet ud fra kendte modeller til repræsentanter af lokale typer. Manets tager et opgør med de anekdotiske, allegoriske og moralistiske indhold, som Courbet startede, og skildrer familer og venner som aktører i samtidigt liv.. Dette fik ham til at trække sig tilbage til skildringen af privat-sfæren og af udeliv, og til kvinder i Paris' underholdningsliv, med hvem Manet som få formåede at konversere uanset klasse eller interesse og derfor også evnede at skildre mere nuancere, ja mere realistisk , end de hidtil havde været i det europæiske maleri (Kilde: Leah Rosenblatt Lehmbeck *Edouard Manet's Portrait of Women*).Det er så at sige, hvad disponerer Rosenblatts tese, idet hun kunne inddrage Francois Delsartes syns-punkter på anvendelsen af krops-sproget til at udtrykke sine indre følelser, sammenholdt med hyp-pigheden af kvindeportrætter i Manets *oeuvre,* der så at sige er med til at filtrere Manets virke-lighedsopfattelse; den samlet balance i portrættets nyvindinger. Morisot-maleriet er kun i den kontekst en kulmination på Manets realisme og dermed samtidens rejse tilbage til en vis klassisk standard.

Jeg er ikke sikker på, om jeg kan tilslutte mig denne indsigtsfulde og interessante narrativ af por-trættet af Berthe Morisot som en kulmination på en flanørs portrætkunst og stilistiske udvikling i kontekst med relativ kvindelig emancipation, eller med dem, som vil bekende at portrætter altid vil omfatte et *trade-off* mellem beskrivelsen af de fysiognomiske dele af mennesket og skildringen af menneskeansigtets udtryk – i en genrespecifik eksperimenteren med æstetik og virkeligheden.

Det er sådan, at Manet baserer sin portrætkunst på *portrætteori*, og i genremæssig harmoni hermed eksperimenterer med æstetik og empiri. Udgangspunktet herfor er, at maleren skal udøve sin kunne ved at gengive og forskønne den portrætterede, uden at udvande ligheden, beskrive denne som ved-kommende burde være, ikke blot som han/hun er. Varetagelsen af beskrivelsen af den portrætte-redes væsen, hans indre og sjæl, det væsentliges sandhed, rejser til gengæld spørgsmålet om por-trættets elementer: posering, mine, hår, dragt og fremtrædelsesperspektiv.

En synsvinkel set let nedefra øger værdigheden, en rank holdning giver et handlekraftigt indtryk, et stærkt bevæget mennesker virker som et dygtigt menneske, en abrupt drejning over skulderen gen-giver inspiration, sammentrukne øjenbryn afspejler beslutningsdygtighed og opmærksomhed. Skildringen af hår, dragt, lys og skygger i ansigtet, tydeligt markerede træk, spillet mellem miner og hænderne kan bidrage til at belive den portrætteredes indre i de ydre træk. Individualiseringen af personskildringen begrænser sig til de mest typiske træk. Disse to ting tilsammen vil kunne forlene portrættet med åndelighed, mente italienske Lomazzo (Kilde: Werner Busch *Das Sentimentalische Bild*).

Portrætkunsten blev sidenhen udviklet af Leonardo da Vinci, der navnligt interesserede sig for kom-parativ anatomi og fysiognomi, hvilket vi allerede har studeret. I den neoklassiske periode tager man imidlertid disse to dimensioner – portrættets elementer og beskrivelsen af menneskets træk - op til fornyet overvejelse i tidens ånd og i håbet om at kunne formulere en lære om forbindelsen mel-lem skildringen af menneskets fysiognomiske træk og skildringen af både det indre og ydre, mellem fysisk fremtræden og moralsk karakter.

Disse konventioner og naturen af portrættet har ikke ændret sig, men der har været talrige forsøg på at berige genren. I henhold til konvention kan portræt-typen varieres med hensyn til poseringen og baggrunden: sort baggrund, belyst baggrund, landskabsmaleri, indre rum med landskabsblik. Syns-busten: 2/3-del, 5/8 del og helfigur. Rammen indgår ofte som et understøttende element i portrættet.

Det skal sammenholdes med den langvarende *trial-and-error*-proces, som portrættet gennemgår i det ophøjede franske kunstakademi for Skønne Kunstner. Der skete således en fornyelse af portræt-teorien, der nu ikke længere baserede sig så meget på Charles le Brun's 16 ideal typer af menneske-lige udtryk som blev studeret udenfor kontekst, som på Caylus, der konceptualisere portrættet som spændt ud mellem lidenskaber og udtryk, som det gjaldt for maleren at studere årsagen og virk-ningerne til gennem et tættere bånd til den portrætterede, velvidende at det ikke kunne lade sig gøre at skildre alle menneskets lidenskaber på én gang. Hovedets position og ansigtets karakter skildret i hverdags-situationer skulle sikre, at

214

portrætkunsten oplevede en ny renæssancen, og inddragelsen af kvindelige modeller var allerede i 1750'erne i Frankrig anset for afgørende for fornyelsen af det europæiske portræt. Modellen var ikke længere en *aide-memoire*, men et menneske som man skulle arbejde med, mente Caylus. Dette blev sidenhen omsat til praksis på akademiet, herunder gennem inddragelse af torsoer, hvormed navnligt hovedet og toppen af skuldrene indgik. Det er først langt senere, at man finder på at inddrage skuespillere, drog ud i klostre, og på gader og stræder for at nuancere portrætkunsten.

Efterhånden opstår der i løbet af 1800-tallets en fornyet interesse for skildringen af menneskets fysiognomiske træk i håbet om at kunne formulere en lære om forbindelsen mellem skildringen af menneskets fysiognomiske træk og skildringen af både det indre og ydre, mellem fysisk fremtræden og moralsk karakter på en mere sandfærdig og indlevende måde. Dermed var grundstenen lagt til det psykologiske portræt, der søger en mere kompleks og varieret og individuelt udtryk, end det som skildringen af lidenskaberne tilbød. Man opdyrkede og uddybede på den vis skildringen af følelserne. Heraf også genopdagelsen af Frans Hals i den sidste halvdel af 1800-tallet, der med sin ublandende og lette penselstrøg og fedtede og bløde indsmeltninger, inspirerede Manet. Der opstod samtidigt en interesse for æstetiseringen af mennesket under indflydelse af Winckelmanns teorier, noget som påvirkede Goya via Mengs (Kilde: George Levitine *The Influence of Lavater and Giro-det's Expression des Sentiment de L'Ame*). Det viste sig imidlertid vanskeligt at forene alle nybrud i et harmonisk hele.

Efterhånden opstår der egentlige kunstteorier. Dette skete helt i tidens ånd, der lagde vægt på at skildre mennesket i al dens sammensathed, ja at menneskets karaktertræk og dets indre bedst kan forstås gennem skildringen *udefra-ind*, det vil sige at der fandt en omvæltning af værdier sted ved hjælp af introduktionen af psykologiske teorier såsom Riblot's *The Psychology of the Emotions*, der opdyrkede en vis subjektivisme i maleriet, uden at bevæge sig hinsides det gode og det onde, alt-imens det følelsesmæssige aspekt ved kunstproduktionen vandt hævd. Naturen af følelser, glæder og sorger, karakterstudier og studier af følelser blev det middel, hvormed skildringen fandt sted af menneskets dybde og behov og instinkter: den menneskelige bevægelse.

Tilsvarende forholder Darwin sig til skildringen af følelser: When considering deeply on any sub-ject, or trying to understand any puzzle, does he frown, or wrinkle the skin beneath the lower eye-lids. When in good spirits do the eyes sparkle, with the skill a little wrinkled round and under them, and with the mouth a little drawn back at the corners?Is contempt expressed by a slight protrusion of the lips and by turning up the nose, with a slight expiration?Is laughter ever carried to such an extreme as to bring tears into the eyes?Disse er spørgsmål, som Darwin stillede sig i en ånd af europæisk imperialisme og antropologiske feltstudier, idet hans evolutionslære trådte istedet for troen på Guds skaberværk.

Duchene skulle tage spørgsmålet om menneskets fysionomi op til fornyet overvejelse i sin bog *Mé-canisme de la Physionomie*, der forholder sig til, hvordan sjælen animerer ansigtsudtryk

216

som infor-meret af psykologisk teori: Manifestationen af menneskelige udtryk kunne således bidrage til at for-bedre beskrivelsen af fysionomiske træk og menneskelige følelser: glæde, forventning, udmattelse, mangel på opmærksomhed, misundelse, jalousi, ubeslutsomhed. Det vides imidlertid ikke, om Manet interesserede sig for dette aspekt ved genopfindelsen af det europæiske portræt.

Det kvindelige aspekt ved kunstproduktionen blev aktualiseret, og dette ledte til overbevisningen om, at farverne tilsvarende var at omvurdere i navnet på en vis kødelighed, hvormed man ønskede at skildre de mere subtile ting ved mennesket og derigennem forfine vor opfattelse af den skildrede. Det er noget, som Jacqueline Lichtenstein causerer over i sin bog *Eloquence of Colours*.

Charles Gauss i *The Aesthetic Theories of French Artists* forankrer æstetiske teorier i idéhistoriske strømninger. Courbet's forankring i Auguste Comte's positivisme og dennes tro på 'idealistiske repræsentation af naturen og os selv i lyset af fysiske og moralsk perfektion af vor art' var skønhed en rigtig og synlig kvalitet i dem, som ventede på at blive opdaget af dem, som er sanseligt gearede til det. Denne kærlighed til forskellighed i kunsten var et opgør med romantikkens idealisme og udtrykker i kunstnerisk henseende et ønske om at fastholde realismens vægt på linien, optegningen , som sidenhen indoptages i impressionismen via en frigørelse fra imitationen i kombination med en fornyet interesse i farvernes psykologi og lyset og dets virkning på vor *opfattelse* af tingene. Sikkert og vist er det, at impressionisterne demonstrerer en øget følsomhed overfor skildringen af lyset, farver og kontraster, og at dette er knyttet dels til gammelkendte problemstillinger vedrørende ob-jekters modtagelse af lys dels til en forfinelse af den visuelle kvalitet af skildringen af atmosfærisk perspektiv. Courbet lagde vægten på spørgsmålet om skildringen af massen og form, og Manet forfiner det så med sine skildringer af subjektet – relativt set – forenet med en sans for *de dybe skygger og det høje lys,erindringen om naturen og glæden ved væren.*

Det er således ved at tage tråden op fra en længerevarende diskussion om æstetik og gengivelse af virkeligheden og forene dem i et harmonisk hele med visse teoretiske nybrud indenfor portrættets konventioner, at Manets position i europæisk portrætkunst bliver cementeret. Han leverer så at sige svar på nogle spørgsmål, som længe har været stillet. Impressionismen genopfandt således ikke blot nøgen-billedet og landskabsmaleriet, men også portrættet. Flatterende overfor Berthes svagheder var Manet dog aldrig. Og heri gengældte Morisot hans følelser med sikkerhed. For det var hende, som endte med at købe portrættet på auktion. Således blev det tidligt moderne portræt til. Men-nesket var alligevel ikke eller endnu ikke til at overvinde. Og så vidt vides findes genren endnu.

Berthe Morisot havde et kort og lykkeligt liv, og var også en ganske habil maler. Hun kom fra en kunstsamler-familie, som havde en anstændig samling af Roccoco-kunst, og hun var fra barnsben af vant med at frekventere kunstnere såsom Degas og Jospeh Guichard, som introducerede hende til Corot, der lærte hende at male *plein-air*-landskaber. Hun har formentlig været med til at animere og inspirere impressionisterne til at forlade husbåden og drage ud i naturen for at male. Allerede fra 1864 deltog hun i Impressionist-bevægelsens saloner, og fungerede indtil gruppen blev opløst i 1886 som moder til impressionist-bevægelsen. Det er det bedste af Manets portrætter af sin kommende svigerinde, og portrættet er af Berthe Morisot, en ikke uvæsentligt aktør i impressionismen.

Manets revolution var ikke en ny disposition, men en uendelig disposition over det europæiske portræt som rækker udover sin tid. Han udfordrerede og bryder med portrætkunstens konventioner i sin brug af farver og i sin malerteknik, der var personlig og ligefrem, dvs intellektuelle, profes-sionelle og sociale karakteristika bliver skildret. Manet foretager i processen hermed en tilnærmelse og gensidig insemination mellem interiør-maleriets med dets vægt på omstændigheder, sociale karakter og omgivelserne med portrættets skildring af udvortes træk, fysiske kendetegn og åndelige udstråling   (Kilde: Armstrong & Stevens - Manet Portraying Life). Manet var samtidigt tilbøjelig til at nedtone udførelsen, belysning, tilstedevær og blik, som om der var tale om et fotografi – i Morisot-maleriet er der sågar anvendt vand-lignende farver.

Fortolkning

Manet var et produkt af sin samtid og af sine omgivelser, og udtrykte sig gennem sine portrætter, indtil han genfinder det mere klassiske udtryk, som han fornyer gennem en kombination af videre-udviklingen af tidens æstetiske begreber, som endnu ikke er hinsides godt og ondt, og ved at ind-drage det landskabsmaleriske farvesprog i kombination med tidens portræt-teori med vægt på det ydre som en afspejlning af det indre, hvormed han fornyr portræt-kunsten på en måde, der både er harmonisk med en vis institutionel historik og samtidig er kongenial med kravet til genren: eksperi-menteren med samtidens æstetik og empirien. Udgangspunktet herfor er 1800-tallets fornyede inte-resse for afbilledningen af den kvindelige krop, og teorier der forbinder de menneskelige udtryks-formåen med følelser og iagttagelse af kropslige udtryksformer i hverdagslivet og i privatsfæren. Manets succes bygger således på, at han var i stand til at levere svar på nogle spørgsmål, som alle-rede var stillet. Det skar på baggrund af navnlig fire landvindinger: (1) Mangel på respekt for portrætkunst og interiør-maleriet (2) manipulation af kilder blandt ældre mestre navnligt Velazquez og Goya (3) Ignorering af det tre-dimensionelle rum (4) afsmag for en konsistent stil. Med Manet bliver realismen koopteret og indoptaget i det europæiske maleri og hans værk står som forløberen til impressionismen.

Kvindelig portrætkunst, hans kunstopfattelse og hans kunstneriske subjektivitet definerer Manets bidrag til det europæiske portrætmaleri. De kulturelle og sociale omgivelser, dette finder sted i, er *fin de siecle*-Frankrig, som bidrager til at inspirere Manet til valget af sine motiver. I takt med den stigende autoritarisme i samfundet leder dette til en stadig stigende vægtning af privat-sfæren, der snart skal ses som en modreaktion mod bonapartismens dumdristigheder, snart som afstandtagen til styrkeprøver , æresbegreber og

220

uforbindtligheder i det diplomatiske system snart som et forsvar for borgerskabets værdier. Som sådan er Manet med til at danne overgang mellem realismens og impre-ssionismen. Berthe var lidenskabelige venner med Manet, og for at være mere præcis, det som Im-pressionisterne stod for og lovede. Hendes evne til at fastholde sin rolle som kvinde med de be-grænsninger, der lå i samtiden for udøvelsen af sin malergerning, har samtidigt gjort hende til gen-stand for en del fordomme, og i sit had mod fordomme, var hun partisk: som kvinde og som men-neske, som individ og maler. Værdien af portrættet er således ikke blot at det er malet af Manet, som den måde Morisot-portrættet ligefrem syntetiserer modsatrettede tendenser til et harmonisk hele, uden fordomme i forhold til traditionen, altimens Manet fornyer skildringen af Morisots væsen og beskrivelsen af hendes persontræk. Jeg har hidtil kun behandlet Manets portræt af Berthe Mori-sot, men Morisot var også en stor impressionistisk maler takket være en hurtig og vild penselføring, hvormed hun skildrede kvinder fordybet i hjemlige og hverdagsagtige sysler på en både dyb og for-friskende måde på den ene side, og på den anden side 'engageret og overbevisende, uden at være prætentiøs' a la Frans Hals. Og frem for alt naturligt.

I begge tilfælde udgør portrættet af Berthe Morisot kulminationen på Manets portrætkunst. Påstig-ningen og afgangen var netop ikke samtidig på denne rejse tilbage til det klassiske portrætmaleri. Det tidlige moderne portræt var kommet hjem. Og Manet havde stor erfaring med afbilledningen af ballerinaer og *demi-monde*-mennesker. Og havde han ikke opnået den klasse i omgangen med kvin-der, langt fra støvede atelierer, hvor kvinder kom til sin værdighed og ret, og anvender kropssproget til at udtrykke indre følelser, var den poseren, som sidenhen skulle danne udgangspunkt for det mo-derne fotografis portrætkunst måske aldrig være opfundet ?

MONET

Åkander, 200x201, (1916), National Museum of Western Art – Tokyo

Åkande-billerne er med rette verdensberømte landskabsmalerier. Motivet er hentet fra Monets have i Giverny og malet i slutningens af hans karriere og liv Manet udførte en større version af åkande-motivet, som på fosforicerende og magisk vis inddrager og opsluger beskueren i en havedams lyksaligheder på forskellige tider af døgnet. Disse hænger på Musée de l'Orangerie i Paris. Åkande-billederne gælder som et af højdepunkterne på Claude Monets kunstneriske virke indenfor impres-sionismen.

Monet afgav ordre på åkanderne hos girodineren Jospeh Latour-Marliac, som opdyrkede og pode-de nordeuropæiske arter med mellemamerikanske arter – lysserøde og gule og røde varianter – som Monet plantede ud i sin havedam, som han anlagde og udvidede to gange i tilknytning til sit hus' have i Giverny.

I Monets Ord: *The crucial thing is the mirror of water whose appearance changes constantly with the reflections from the sky"*. Vandets fremtræden ændrer sig sandelig stadigt i Monets åkandebil-lerne fra grøn til mørk grålilla, lakse-pink og brændende orange.

En vigtig udstilling fadt sted i 1909 af en serie af *Les Nymphéas* , mens Orangeriets samling af store åkandebilledder først blev erhvervet i 1916 som en gave ved I. Verdenskrigs afslutning fra kunst-neren til den franske stat mod at den lod dem udstille samlet. Heraf blev tanken snart født af at skabe en mere samlet værk, efter flere forgæves forsøg på at udsmykke private hjem med åkande-temaet:

"The temptation came to me to use the water lilly theme for the decoration of a drawing room: carried along the length of the walls, enveloping the entire interior with its unity, it would produce the illusion of an endless whole, of water with no horizon and no shore; nerves exhausted by work would relax there, following the restful example of those still waters, and to whoever entered it, the room would provide a refuge of peaceful meditation in the middle of a flowering aquarium".

Med hensyn til synsvinklen er åkanderne et forsøg på at male stillestående vand med en reflek-terende overflade af vand i et stejlt close-up perspektiv. Det vil sige, at Monet søgte ikke blot at skildre overfladens vegetation og reflekser, men ligefrem hvad der gemte sig i dybderne af vandet (Kilde: Ross King Monet – The Waterlillies). Dermed var blledet imidlertid også blevet til en dekorativ flade.

Lærredet er malet op med blyhvid som grunder og Monet brugte linseolie eller valmueolie som bindningsagent, der forlener baggrunden med en off-white tone. Han bruger og kombinerer i åkan-debillederne farverne : blyhvid, kadmium-gul, cinnober-rød, krap-rød, kobaltblå og chrom grøn og fransk ultramarine. Det vil sige, at brun og sort hurtigt blev bandlyste fra Monets palet.

Lyset er skildret på forskellig vis i de forskellige åkande-billeder udstillet i Orangeriet. Oplevelsen er som om man befinder sig andetsteds, på en svævende sky i et landskab så indtagende, at man helt glemmer verdensligheden som gav anledning til den store donation-cum –dekoration. Samtidigt gælder maleri-serien f.s.v.a. som et forvarsel om abstrakt kunst, i det omfang der netop var tale om en udsmykket flade-cum close-up.

Malerteknik: Monet er berømt for anvendelsen af sin pensel i forskellige strejf

CEZANNE

Frugtskål på Bord (1886), Musée d'Orsay.

Paul Cezanne (1839-1906) er post-impressionist, dvs en realist, som skildrer verden sanseligt, ved hjælp af sin personlige intuition for at gengive øjebliksindtryk ved at være i kontakt med sit mate-riale – primært i naturen. Impressionisterne orienterer således realismen mod nye værdier: øjebliksindtrykket og det sanselige, men post-impressionisterne danner bro mellem impressionisterne og fauvismen, kubismen og ekspressionismen.

I *Frugtskål på et Bord* ser vi et visketørklæde hænge over et mindre bord, og et arrangement af forskellige frugter og forskellige skåle og vaser, samt en frugtkurv, i mellemgrunden og baggrunden af hvilke anes forskellige køkkenstole- og remedier.. Maleriet er nok let skurrende i sin pensel-føring, altimens konturerne er en kende let optrukne – helt yndefuld er Cezanne ikke her - og han gør heller ikke brug af tegningskunst. Og dog fornemmer man, at det er samspillet mellem lys og farver, som er fremhævet i *Frugtskål på et Bord* snarere end repræsentationen af objekterne.

Genremæssigt hører stillebenet til et af de ældste malertyper, hvis oprindelse kan identificeres med *nature morte*-malerier, det vil sige skildringer hvor der kan males efter livet eller naturen. Et *Stil-leben* tillader at flytte rundt med tingene og eksperimentere med malermåde og med billedindholdet. Stillebenets funktion er i den forstand velegnet til at udtrykke en visuel enhed af forskellige elemen-ter og forme dem ind i billedets masse. Van Goghs udgangspunkt herfor er hans studier af liniens magt i maleriet, som han oversætter til en pensel-føring i kurver og en nærmest vuggende maler-måde, mens Cezannes udgangspunkt er kontrasteringen af objekt-relationen som perspektivisk konstruktion. Som sådan er det moderne stilleben vel en hydrid mellem landskabsmaleriet og interiør-maleriet. Det modsvarer samtidigt en afstandtagen fra det historiske maleri. *Stillebenet* er i den forstand en kommunikationsplatform, som kunstnere afprøver sine tanker med, i hvilken ret-ning de mener det europæiske maleri skal udvikle sig i. Et *Stilleben* introducerer endeligt en vis kunstfærdighed i maleriet. Med *Stilleben og en Kommode* sender Cezanne et budskab om, at han ønsker at ændre den rummæssige opfattelse af det europæiske maleri. Måden han gør det på er ved at erstatte farve og lys og ved at nyskildre masse og volumen gennem brug af ufærdige linier. I praksis er der tale om et dobbelt opgør: med det centralperspektiviske konstruktion og anvendelsen af fladen som et tre-dimensionelt rum gennem brug af kontrast. Dynamikken i maleriet til gengæld er fremmanet ved hjælp af separate elementer, som gynger mod hinanden – svækkelsen af konturer-ne er fortsat. Stillebenet opfylder i den forstand til fulde sin funktion i mødet mellem van Gogh og Cezanne og er samtidigt med til at påvirke Cezannes videreudvikling som maler.

Fremstillingen bliver da forlenet med en anden og ny realisme: et formmæssigt rum i et fortættet farvesprog. Cezannes malerier trækker i den forstand tråde tilbage til impressionisternes interesser for farve og ufærdige linier . Måden linien og rummet udtrykkes på bringes i den forstand i sam-klang med Cezannes kunstopfattelse og udviklingen i samfundet, der er præget af en svækkelse af det religiøse, og en ny fremskridstro. Netop ved oparbejdelsen af flader og linier, personer og gen-stande ved hjælp af fordrejet akser og optegninger i kombination med tilsyneladende labile hæld-ningsgrader udmærker Cezannes malerier sig. Hans *Stilleben* danner i den forstand forudsætning for hans malerier i naturen. Hans stenhugger-malerier vidner om stor iagttagelsesevne af geologiske og landskabsmæssige former . Da han udstillede sine malerier i 1907 gav det anstød til kubismens fødsel, som animeret af Bracque og Picasso, og fremmet af D.H. Kahnweiler. Netop i denne periode var Cezannes indflydelse enorm i kunstverden.

Hvad der står for det indre blik som varetagelsen af et kunstnerisk tradition bliver nu forvandlet og relativiseret, omformet og projiceret op på lærredet som en ny malerisk komposition, der distance-rer sig fra de store fortællinger i historien og i stedet påtager sig den opgave nuanceret at skildre naturen i sin kompleksitet. Dette sker under indtryk af impressionismens teorier om illusionisme, opridsning og volumenfasthed, med hvilken denne malerbevægelse søgte at skabe nyt, idet de fleste af dem opfattede linier og atelier-belysning som udtømte, og satte farvens kulør, lysstrømninger og lysindfald i stedet, herunder ved simultankontrast. Cezanne elskede sin hjemstavn Provence, hvis natur han engang opsummerede: *Menneske, Kvinde og Stilleben*. Provences sol og diamantklare lys og stedsevise rå vandfattige landskaber skulle spille en så vigtig rolle for den impressionistiske bevægelse og for udviklingen af talrige kunstnere såsom Monet og Van Gogh, og sidenhen lige så Picasso og Chagall.

Farvemæssigt udmærker Cezannes indstilling sig ved dets brug i trelation til lys og skygge sam-menholdt med luftperspektivets konventioner. Cezanne identificerer blå med rummet, og rød og gul med luftvibrationer, navnlig kontraster mellem lødighed og kromatiske overgange snarere end de kontraster i tone, som navnlig gjorde sig gældende i solskin.

Cezannes beherskede til perfektion prægningen af objekter med farver, som om der var tale om glaseringsteknik, uden at gøre brug heraf. I stedet harmoniserede han farverne med hinanden, en distancering fra det realistiske ud-gangspunkt. I Cezannes palet indgår flaghvidt, zinkhvid, chromgul, Kadmium gul, Napoli gul, gul okker, rød okker, cinnober-rød, kraprød lak, karmosinrød, emeraldgrøn, viridingrøn (chrom), gørn jord, kobaltblå, prøjsisk blå, fransk ultramarine og fersken sort (kilde: Pavey & Osborne color-academy.co.uk). Ja, farve, line og form udgør aspekter af det samlet sansede spektrum af det menneskelige øje i det europæiske maleri, mente Cezanne. Heraf det skulpturelle kvalitet af hans studier, objekternes materiale var en 'harmoni parallel med naturen', men der var tale om en harmoni uden komposition som bevidst kunstnerisk formelement.

I maleriet *Lac D´Annecy* (1896) , der befinder sig på Courtauld-galleriet i det østlige London, sker opbyg-ningen af maleriet med den for Cezanne så karakteris-tiske geometriske opklodsning i farvemæssige planer , så at blikket samler sig

omkring skildringen af bjergkar-mens fod, altimens træet indgår som et kompositorisk element uden skygge og dog perspektivisk. Bemærk den mættet pigment i indfarvningen af søen og den måde, som rektangulære linier i skildringen af motivet har-moniserer maleriets forskellige elementer med omgivel-serne med udgangs-punkt i bjergkarmens fod, der ses i baggrunden til Chateau d'Annecy, der ligger ved An-necy-søen, tæt på hvor Cezanne voksede op. Cezanne ønsker med andre ord ikke længere at gøre brug af linie længere, men anvender i stedet for farver og hurtige ,gentagende tygge penselstrøg - til at modulere maleriets forskellige dele og dermed det seendes øjes varetagelse af den visuelle er-faring. Maleriet er så ligetil og alligevel intenst. Cezanne havde et nærmest poetisk forhold til naturen og man mærker nærmest, hvordan sammenstillingen af farver flyder ind i hinanden ved *Chateau d'Annecy*, et landskab i *Haut-Savoien*, en italo-provencalsk provins.

Jo, Cezanne ønskede at gøre impressionismen *mere solid* . For hvad skulle man finde på, når foto-grafiet allerede havde gjort en sammentrængning af baggrunden i forgrunden mulig, og impressio-nisterne evnende at fastholde virkeligheden i et øjebliksindtryk ? At anvende malingen, så at form og rum blev sammenfaldende med fladen og malerens brug af penselen, så at konturene af gen-standene i al væsentlighed bliver bestemt af det visuelle farveindtryk: *Je voudrais peindre l'espace et le temps pour qu'ils deviennent des formes de la sensibilité de la couleur.*

Dette modsvarer utilfredshed med brugen af perspektiv, som Cezanne ersttater med dannelsen af af et farverum, og hans vægtning af en vertikal linie som redskab til at skabe umiddelbar dybde, en følelse af at b evæge sig nedad i maleriet snarere end baglæns, dog således at begge er kommunikeret i

231

maleriet på samme tid, så at blikket kan bevæge sig op og ned, tæt på og langt fra: *Den dobbelte perspektiviske linie*. Kan det lade sig gøre at anskue en genstand fra flere forskellige synsvinkler ved at manipulere med rumlig fornemmelse og struktur i et maleri ?, spørger Cezeanne i sit tidlige Stilleben Frugtskål på Bord

Engang Cezanne havde udviklet sin reduktionistiske tilgang til komposition, modsætninger mellem former og farvens rytme (Picasso) forekom det logik at tage fat på skildringen af naturfælser i Aix-En-Provence's omgivelser, som ikke længere er naturalistiske. Cezannes bidrag til det europæiske maleris historie skal således ses i form af sammensætningen af rum, flader og farver på billedet, som vidner om en maler, der krævede sit i krydsfeltet mellem epoker og bevægelser, personlighed og malergerning. Udgangspunktet herfor er *Stillebenet*, der fungerede som afsæt for hans malerger-ning i mødet med Van Gogh og traditionen på området i øvrigt. Det er tydeligt, at impressionisterne var mere optaget af at farvespil, skygger og intense farver ude i naturen end af en gengivelse af virkeligheden for bedre at kunne skildre naturen. Cezanne er mere sammensat, og gør samtidigt brug af skulpturelle og akvarel-teknikker, som han sammenføjer i sine malerier i skærings-punktet mellem post-impressionismen og modernismen.hans opgør med den centralperspektiviske konstruktion blev i den forstand vendt på hovedet nok engang, altimens han søgte en ortogonal struktur midt i sine landvindinger. Hverken impressionistisk illusionisme eller abstrakt projektion på billedfladen, er virkningen heraf som i et relief. Kilden hertil er den tyske maler Hans von Marées, hvis

232

idealisme og *murales*Cezanne anvendte til at skabe en ligevægt mellem billedefladen og billedrummet i sin skildring af maleriets enkeltdele. Michelangelos amorfe opklodsning synes at udgøre en anden inspirationskilde. Og så tiden sammen med Van Gogh.

Hvor impressionisterne interesserer sig for lys og farve, søger Cezanne at abstrahere volumens tæthed i sine landskabsmaleier, altimens han tager afstand fra brugen af det liniære pespektiv i stillebenet, der foranledigede kubisterne i deres søgen efter nye perspektiver som informeret af relativistisk fysik og sfærisk geometri til at animere planerne hvis ikke ganske eliminere mennesket fra maleriet. Det bærende element i billedkonstruktionen er nu ikke længere perspektivet, i hvert fald ikke så meget kompositionen af store enheder, som de små enheders struktur, føjet sammen i åbne og dybe overflader i et affektivt varmt rum af pulserende og levende farver. Heri består Cezannes blivende bidrag til udviklingen af det europæiske maleri (kilde: Fritz Nvotny Paul Cezanne – Gesammelte Schriften zu seinem werk).

I henseende til sin portrætkunst markerer Cezannes portrætter af sin kone Hortense Fiquet afslutningen på skildringen af menneskets in-dre. Paul Cezannes glæde for farver og malermåde indebærer som sådan en overgang mellem impressionismen og ekspressionismen – på portrætsiden. Cezanne levede og åndede for sin

kunst, mens ko-nen plejede hans indre kortslutning, og dog afslører han aldrig så meget som et indre liv i hende, ikke et portræt er ens, ikke en følelse er entydigt gengivet. Det er nyt i den europæiske portrætkunst. I stedet viser han en særskilt evne til at vise den *vordende* følelse, som han nærede for sin kone, Hortense Fiquet: en stout kvinde fra Jura-egnen. Med hvad er en følelse? Og hvordan gengiver man den ma-lerisk? Hvor portrættet i 1800-tallets England er præget af glæde eller en vis forstemthed som i John Constables *Blue Boy* eller af en vis teatralskhed som i Gainsboroughs varme portræt af sin kone, er det franske portrætmaleri ofte udtrykkeligt, overdrevent og kunstigt som for eksempel Ingres' *Lysseblå Dame*. I henhold til samtidens teorier gjaldt imidlertid, at følelser sjældent opfattedes som entydige, altid var lokaliserbare i ansigtstræk og dertil ofte sammensatte. Mens Degas afsøger ked-somheden og angsten i storbyen, er Cezanne overbevist om, at følelser skal gengives farvemæssigt. Det vil sige man skal grundlægge sine iagttagelser *udefra-ind* og gengive dem med ved hjælp af penselstrøg: det overfladisk dybe. Der så at sige tale om et samspil mellem to kræfter: modellens tilstand og kunstnerens fornemmelse. Hvad personen projicerer stimulerer kunstneren, og denne følelse og udvikler sig så i den repræsentative proces: *le motif.* Accepterer man denne form for internalisering, forstår man først hvor sensuelt og varmt portrættet af hans kone med nedslået hår, er, og den perceptuelle balance og fleksibilitet i skildringen, som præger Cezannes bølgende kon-turer og facetterede skildring, altimens de separate elementer i maleriet bliver anvendt til at illudere dynamik på fladen. I den forstand skaber Cezanne nye harmonier i det europæiske portræt – enkelt og let ser det ud.

Joseph Gibert, Aix, lærte Cezanne at male i olieakvareller, men ikke landskabsmalerier, som danske Camille Pissaro hjalp Cezanne med, som han også havde hjulpet for Manet med. Cezanne inspirerede via udstillingen af sine værker i 1907 kubismen. Picasso og Georges Bracque drog begge inspiration fra ham, og ligeså Navnlig hans facon med at klodse materialet og planer op mod hinanden.

CHAGALL

Et Interiør med Blomster, (1918),Tempera, Issak Brodsky-museet, 46x61

Marc Zakharovich Chagall (1887-1985) var ifølge Picasso samme med Matisse den sidste af de store malere, som forstod hvad farver er. Og der er malet mange farverige interiørmalerier igen-nem tiderne i Rusland. Her er det et interiørmaleri fra en Datcha i Zolochie tæt på Vitebsk, som stod Marc Chagall til rådighed. Der er et firkantet bord med en oval blomsterskål med dekoration og en buket blomster stående på bordet, og en stak papirer af fire forskellige størrelser. Der er en dug omkring bordet og tre stole, to af dem er malet gul-brune, en tredje sort. Der er kig ad et vindue med forhæng til en birkeskov.

Synvinklen i maleriet er set oppefra og ned.

Sin farveholdning skyldte Chagall ikke mindst Robert Delaunay, der var en fransk kunster, der med sin orfisme gjort af levende modsatrettede farver ønskede at skabe 'rene farver for en ren malerkunst' dvs en farvelære for abstrakt kunst. Der var tale om et kubistisk hæresi, idet Delaunays pris-me af transparent, lyse og komplementære farver tog afstand fra kubismens akromatiske jord-farver (hvid, brun og grå). Farverne skulle absorbere beskueren og ramme denne ved hjælp af varme og kolde farver, som sol og måne, a.k.a. 'simultanisme", en ny åbenbaring hvortil man kunne lægge intensitet og øjeblikkehed engang absorberet. Formålet hermed var bedre at afspejle det moderne livs kompleksitet og mulige tilstande og overføre dem til lærredet. Hos Chagall forvandlede dette motiv sig til en farveholdning hvor hensigten var at drage opmærksomheden mod den følelses-mæssige resonans og symbolisme ved de afbilledede scener. Heri så Chagall i øvrigt ingen modsæt-ninger. Hans palette genopfinder en række farver, som eller var gået i glemmebogen. Hans farver indgår i en gensidig dialog og med forskellige grader intensitet forstærker hans subjekter, altimens de prøver på at konkurrere eller at overgå hinanden. Blå bliver ofte anvendt til at angive eng iven atmosfære såsom tusmørke. Eller en lyssere blå som interiør-maleriet for at angive daggry. Chagall anvender i det hele tagelse forskellige toner af blå: indigo, kobalt, ultramarine og prøjsisk blå, azur, turkis og levander. Disse ville blive komplementeret med Veronese og emerald grøn, en blød grøn for forårsløv, en tyk mørk grøn for sommer træløv som i maleriet, som rusker i den lyse gule sol eller en døb lilla rød for et fantasidyr. Pointen er, at farverne anvendes til at besværge eller at oversætte dybderne af faunaen, som Chagall ofte ville referere til i sine værker.

Chagall udtaler: In our life, there is a single colour, as on an artist's palette which provides the meaning of life and art. It is the colour of love.

Chagall gennemgik i løbet af sin malerkarriere en udvikling fra naiv folklorisk kunstner indtil han fandt sin egen stil under påvirkning af forskellige strømninger såsom kubismen og suprematismen, ekspressionismen og fauvismen, symbolismen og surrealismen på forskellige tidspunkter og steder i sit værk. De universelle tidløse temaer kærlighed, lidelse og død, selvportrætter og gengivelse af cirkus, musik og bønder skulle dog snart udgøre en fast del af det chagallske repertoire.

Chagall havde tre primære inspirationskilder: en jødisk, russisk og fransk.

Sine rødder havde Moishe Shagal som Marc Chagall var navngivet, i jødedommen nærmere bestemt i en af dets sekter Hassidim, som dominerede den jødiske befolkning i Vitebsk, et slags russisk Toledo, som i dag i Israel nærmest betragtes som inderliggjort shtelt-romantikere men som samtidigt rummer både lærde og fromme hellige mænd, en essens og et - materiale, som Chagall skulle trække på igennem sit liv således som hans kunstneriske virke udfoldede sig primært hvis ikke udelukkende i eksil. Der var tale om et spørgsmål om at hævde sig selv og en principiel indstilling fra Chagalls side, hvormed han ønskede at integrere sig som en ledende modernistisk kunstner i Rusland og Rusland i den kunstneriske avantgarde. Hans kunstverden var i den forstand et mikro-kosmos på hans tro, og hans visuelle forestillingsverden et tempel af kunst han kunne arbejde et langt liv på. Hovedbestandelene heri var et righoldigt poetisk fortællermateriale og en dyb kærlighed og taknemmelighed til sine forældre, sin kone, sin hjemstavn.

Det var i (Hvide-)Rusland, at Chagalls løbebane begyndte og han fik de afgørende påvirkninger i sit kunstnersyn. Chagall modtog undervisning hos den realistiske maler Yehuda Pen, og sidenhen hos kostumedesigneren og scenografen Leon Bakst. Chagall mod også afgørende inspiration fra den russisk folklore eller lubki, som var afledt af billeder i illuminerede manuskripter med fantastisk eller overnaturligt indhold, og som ofte ville gøre brug af klare transparent palette, en stor veneration for illumination og særlige teknikker for at afbillede vegetation og arikitektoniske detaljer. Denne folkekunst ville tilsvarende hyppigt foretage afbilledeninger af levnedsbeskrivelser af simple, almindelige menneskers livc. Chagall lod sig forføre af folklore og dens afvisning af naturalistisk gengivelse og dens tendens til ikke at udtrykke objekters eksterne form , men i stedet deres indre essens, den naive og idylliske side af symbolistisk filosofi, dens fantastiske udflugter og beundring af verdens skønhed, som et poetisk bånd mellem naturen med dets lidenskab for gadekunst (Kilde: Ekaterina Selezneva Chagall's Russian Sources of Inspiration). Denne strømning af folklore skulle få sin individuelle prægning hos Chagall.

Det var ligeledes i Rusland, at hans elskede Vitebsk befandt sig, som han gang på gang skulle vende tilbage til i sine malerier. I 1915 giftede Chagall sig med Bella Rosenfeld i Vitebsk, og i 1916 ud-stillede han sine Vitebsk-billeder i Sankt Peterburg og i Moskva samme år side om side med Male-wich . I 1918 blev Chagall udpeget som kunstkommissær for Vitebsk i Sovjetunionen, hvor han sammen med El Lissitsky oprettede et Folkets Kunst-Kollegie, hvis mandat var "at organisere kunstkoler, museer, udstillinger, kurser og forelæsninger om kunst i Vitebsk og omegn". Undervis-ningsprogrammet omfattede teoretiske studier af samtidige venstreorienterede kunstretninger, tegningskunst for anvendt kunst navnlig bydesign samt praktiske kurser.

El Lissitsky fik overbevist Kazimir Malewitch, der fire år forinden havde grundlagt suprematismen, der afviste den fysiske verden til fordel for geometriske former, til at drage til Vitebsk for at under-vise på kunstskolen. I 1920 havde Chagall fået nok af manglen på malerisk pluralisme og forsøget på at pode en revolutionær korrekt enhedskultur af abstrakt kunst på kunstakademiet, som Male-witch støttet af den administrative ledelse og flertallet af de studerende forestod, og forlod Vitebsk til fordel for Moskva – desillusionerede og venstreorienteret. Dette skisme indenfor avantgardistisk kunst mellem den politisk korrekte non-figurative, abstrakte kunst og Chagalls poetiske realisme forankret i russisk folkekunst og hassidisk fromhed skulle levere materiale resten af livet for Chagall, til 'hans hænder, hans farvesprog og hans pensel' (Kilde: Art Gallery of Ontario: Chagall et l'avant-garde russe).

Da han som blot 23 årig første gang ankom til Paris i 1910 opholdte sig dér i første omgang i fire år indtil 1914 – sit eksil påbegyndte han i 1923-41 i Paris inden Chagall efter et ophold i USA under krigen vendte tilbage til Frankrig for at slå sig ned i St Paul de Vence. I Paris lykkedes det ham efterhånden at skabe et lykkeligt ægteskab mellem sit Ruslands fiktive og metaforiske formsprog og kubismens univers af geometriske former og kromatisk transparens. Det er også i Paris, at Chagall udvikler sin entusiasme for orphismen med dens eklatante og kontrasterende farvesprog. Denne affinitet reflekterer på en gang nybrud i Chagalls kunst og hans ambivalens overfor en kunst uden subjekt og emne samtidigt med at den markerer hans åbenhed overfor verden, uden at den får ham til at opgive samspillet med det fantastiske og reele i sin kunst, altimens han introducerer tragi-komiske situationer hvor mennesket møder begivenheder i tid og rum (Kilde: Angela Lampe Chagall et l'avant-garde-russe).

Det er den samme leg med projektionen af fremadstormende dynamiske kræfter hinsides det indre rum, der er antydet i to af sæderne, samtidigt med at den sorte stol der vel repræsenterer Chagall, sammen med blomsterdekorationen stabiliserer kompositionen. Eller som El Lissitsky formu-lererede sig: "we

241

brought the canvas into circles and while we turn we raise ourselves into the space".

Chagalls fantastiske landskabsmalerier, hvor personerne fylder mere end landskabet udgør et enestående bidrag til det europæiske landskabsmaleri, hvor hans poetiske, konstruktive samt kolorisme i særdeleshed kommer til sin ret.

Fortolkning

Interiør-maleriet er malet på et tidspunkt hvor Chagall netop var blevet udpeget til kunstkomissær i Vitebsk af de stedlige myndigheder, som stillede ham en Datcha i Zalochie til rådighed, og hvor motivet til interiør-maleriet er hentet fra.

Han er nygift og lykkelig. Der ligger formentligt undervisningsmaterialer fremme på bordet. Han kunne godt tænke sig at indrullere Malewitch på sin kunstskole, efter at El Lisiitsky har takket ja til at undervise på skolen. Hans håb er, at dette trekløver vil lede til et frugtbart samarbejde, og til gensidig inspiration. Heraf blomsterbuketten. Måske aner han også at dette kunne blive til et flygtigt øjeblik, til blot et vindue mod nyt lys, nye planer hinsides Zalochie.

Og måske handler moderniteten igennem tiderne herom: at kunne definere og udfolde sin identitet, uden at blive til genstand for forfølgelse eller forfængelig søgen efter glorie.

V. KONKLUSION

Til at begynde med stillede vi os spørgsmålet: Kan det europæiske maleri som kunst-tradition forstås som en indbyrdes sammenhængende udvikling mellem genrer på tværs af epoker ?

For at besvare spørgsmålet har vi foretaget en tilnærmelsesvist sammenlignedegennemgang af evo-lutionen i det europæiske maleri ved at analysere de inter-piktorale virkemidler: komposition, lys, bevægelse, synsvinkel, farve, rum og malermåde, som om genrer fletter ind i hinanden og beriger hinanden som led i en kontinuerlig evolution.Vi har i den forbindelse ikke skelnet synderligt til en gotisk fornemmelse for kronologi og ornamentik.

Formålet hermed er at sikre, at brugen af genren og omstændigheder, de er fremkommet under indgår i analyse-arbejdet på lige fod med den enkelte kunstners uddannelse og forsøg på at hævde beherskelse over formen.

Vi har behandlet fire epoker: renæssancen og barokken og romantikken og de tidligt moderne. Op-gaven har ikke været nem, fordi den involverer en syntese af forskellige elementer og indsamling af malerier, som hidtil ikke har været nemt tilgængelige. Der er tilsvarende tale om et kompliceret pillearbejde, men vi er sikre på at være på rette spor og at en integreret tilgang er både er den rigtige vej fremad og indsigtsgivende, er bogen her forhåbentligt et vidnesbyrd om. Arbejdet har været hjulet af en betydelig udvikling indenfor internettet og af forskellige web-sites,som interesserer sig for det samme emne: det europæiske maleri. Hermed er det via denne indføring i europæisk billede-kunst blevet muligt at etablere en oplæg til en kanon over det europæiske maleri og dets udvikling.

Vi skal kort opsummere resultatet af vort analysearbejde:

STORIA

Storia-maleriet bliver grundlagt i den italienske renæssance som alternativ til ikonen, undfanget i Det Byzantinske Rige, med henblik på at tiltrække troende til kirken. Da Det byzantinske Rige bry-der sammen i 1453 opstår nye kristne centre i Italien, som Firenze, Venedig og Rom anfører. I den forbindelse er det lykkedes os at dechifrere Botticelli's *Venus' fødsel* tilfredsstillende og nærmest fyldestgørende, et maleri, som hidtil har gjaldt som gådefuldt, men som i virkeligheden retfærdig-gører Mediciernes politiske lederskab og humanisme og forlener intellektuel troværdighed til Renæ-ssancens værdigrundlag, hvis genese Botticelli oplevede på nært hold. Det hører med til Historien, at Medicierne efterfølgende svigter sine videnskabelige idealer – ekskommunikationen af Gallilei - efter at familien er blevet smidt på porten af Savanarola og kastet i armene på Pavestolen.

I barokken ændrer omstændighederne sig, og der opstår i kølvandet på en ny billedstrid, opmuntret af nordeuropæiske prinser, et andet skisme indenfor kristendommen, som

Caravaggios *Storia*-male-rier animerer og fordunkler, således at Ur-hvælvet kan hidkalde folket tilbage til den rette tro.

I Romantikken, der skiftevis begynder i 1750-1855, opstår der en snart forskrækkelse snart henrykkelse over Napoleons hærgen, og dette indgår i maleriet på lige fod med

Blandt de tidligt moderne optræder Picasso som et fyrtårn med sin Guernica.

Som genre er *Storia*-maleriet i dag i det store og hele erstattet af anden visuelpraksis: Nyhedsud-sendelsens. TV'et er et medie.

Den rolle, som beretningen om historiske begivenheder, har opnået, må således siges at have ændret karakter, men dens udbredelse er til gengæld universel og til genstand for både konkurrence og ud-veksling mellem menneskelige fællesskaber og i en global sammenhæng – og på flere niveauer.

PORTRÆTTET

Portrættet er grundlagt i Nederlandene og i Spansk Nederlandene (Belgien) af brüggelingerne Hans Memling, Hugo van Der Goes og Jan van Eyck. Der er indenfor portrætgenren, at skildringen af menneskets psykologi og individualiseringen af skildringen af mennesket som menneske er grund-lagt. Det sker allerede, før Italienerne begynder at systematisere genren som et blandings-produkt mellem skildringen af menneskets træk

245

I barokken er portrættets mestre:

I romantikken hævder Storbritannien for første gang sin indflydelse på det europæiske portræt.

Nu er vi så kommet til de tidligt moderne. Efter at portraituren har sovet Tornerose søvn som led i romantikkens udsvævende inderliggørelse af heroisk makværk og stormagternes resolution heraf, genfinder man langsomt formen indenfor portrættet ved at finde tilbage til dets rødder i renæssan-cen. Dette sker ved hjælp af en kunstnerisk subjektivitet, som endnu ikke er hinsides det gode og det onde og mennesket. Det er Eduard Manet, som har malet det bedste af de tidligt modernes portrætter, og maleriet er af Berthe Morisot, hans malerkollega og svigerinde.

LANDSKABSMALERIET

Landskabsmaleriet er opfundet i Nederlandene af Pieter Brueghel, og gøres til genstand for en systematisering af Mantegna og Bellini i Italien, som begge tilhører den venezianske malerskole.

Som repræsentant for Renæssancen har vi analyseret Giambelinis *Hellig Allegori*. Vi mener, at det er lykkedes os at gøre dette på en måde, som er bedre og mere overbevisende end alle andre forsøg på at analysere dette professorale maleri, der dels handler om en lærers forsøg på at indpode sine elever disciplin igennem en fortælling over kvindelig emancipation dels peger på muligheder for at videreudvikle landskabsmaleriet ved at sænke horisonten. Dette sker gennem skildringen af en uforlignelig harmoni mellem figurernes og deres placering i naturen.

I barokken ændrer landskabsbilledet langsomt karakter, og man begynder at tage stilling til for-skellige problemstillinger vedrørende gengivelsen af naturens lys og masse.

I romantikken studerer vi Turner, som sammen med Goya Friederich udgør de kvintessentielle romantiske malere. Turner eksperimenter med farver og udgør Storbritanniens fremmeste maler.

Blandt de tidligt moderne har vi studerede Monets uforlignelige åkande-billeder, der tillader at studere dels impressionismen og overgangen til mere abstrakt kunst, en udvikling vi fulgte i kapitelvignetten.

STILLEBEN

Stillebenet er som genre etableret til brug for lanceringen af nye ideer og for at eksperimentere med objekt-baseret virkelighedsopfattelse med henblik på at kommunikere nybrud indenfor maler-tradi-tionen. Det er herved sket en udskilning fra *storia*-maleriets og dettes skildring af madvarer, som nu udelukkende eller ofte indgår i stillebenet.

I Renæssancen ser vi Albert Dürer som en første skildrer af *Nature Morte*. Han er den maler, som først rejser spørgsmålet om sammenligningen mellem dyr og mennesker ved at rette opmærksom-heden dels mod skildringen af bevægelsen dels fastholdelse af proportion i perspektivet på lærredet på en måde, som skal påvirke senere tids

I barokken eksploderer *nature morte* og bliver til *Stilleven* under indtryk af væksten i velstand blandt barokkens pronk-malere, der eksperimenterer med perspektivets virkning.

I romantikken fortsætter man studiet af objektet der ved siden af en klassicerende tendens, observer-bar i Melendez' *Bodegones* , og i Gericaults makabre studier af afskårne lemmer, hvormed han indvarsler dels behovet for at skifte synsvinkel i maleriet ud dels ruminerer over.. .. ..

Blandt de tidligt moderne er Cezanne *Stillevens* mester som få. Han tager opgøret med perspek-tivet, og fokuserer på skildringen af massen og volumen, som skal opnå afgørende indflydelse dels på hans egen udvikling som maler dels på fremkomsten af non-objektiv og non-figurativ kunst, for så vidt der er tale... ... .
... ...

INTERIØRMALERIET

Interiørmaleriet er undfanget dels som med et sekvkritisk potentiale og som kontrast til storia-maleriet.

I Renæssancen betyder interiør-maleriet mindre, idet man fastholder det indenfor rammerne af de øvrige genrer.

I løbet af barokken bliver genren udviklet navnlig af Johannes Vermeer. Vi har analyseret fire interiør-malerier. For barokkens vedkommende er der tale om Velazquez Las Meninas, hvor vi for første gang har tilbudt en tilbundsgående og fuldstændig analyse af dette maleri, der ellers har gjaldt som lidt af en gåde i mange årtier.

I romantikken gjorde flere malere sig gældende som interiør-malere, og vi valgte at analysere et maleri af Friederich, der markerer en afslutning på en udvikling i gang sinden barokken.

Blandt de tidligt moderne studerede vi Marc Chagalls interiørmaleri, der er udstillet på Brodsky-museet i Sankt Petersburg. Som sådan er det lykkedes at skabe en tematisk sammmenhængende fremstilling af en kunsttradition: det europæiske maleris.

Oversigt over Tableauer:

Renæssancen

Barokken

Romantikken

De tidlige Moderne

Anerkendelse af fotografier

Lightning Source UK Ltd.
Milton Keynes UK
UKHW020250080223
416610UK00016B/2229

9 788743 026051